知識ゼロからはじめる！

プログラミング
副業で
月収10万円

高橋千陽
Takahashi Chiharu

技術評論社

目次

第3章　クラウドソーシングサービスで
仕事をしてみよう

第4章　難易度別！Webサイト制作
副業をやってみよう

目次

第5章 その他のプログラミング副業にも挑戦しよう

第6章 月10万円を目指す！ステップアップ方法

第7章　副業で得た知識を応用して相乗効果を狙う!

付 録　副業の基礎知識を確認しよう

序章

プログラミング副業を
おすすめする理由

プログラミングは将来性のあるスキル

🔑 人材不足が加速
🔑 ITスキルの需要拡大

空前のプログラミングブームが巻き起こっている令和時代。一方で、今更プログラミングを勉強しても遅いという意見も。プログラミングが将来性のあるスキルといえる根拠を解説します。

✒ プログラミングは将来性のあるスキル

　働き方改革の一環として副業が解禁となったことで、会社員が多様な働き方をすることも珍しくない時代となりました。会社員が副業をするメリットは収入面だけでなく、個人のスキルアップが図れることにもあります。そして昨今の不安定な情勢の中、これまでのような終身雇用の時代は終焉を迎えつつあり、会社に依存しない**一生モノの個人スキルとて「プログラミング」**が注目されています。

　また、プログラミング教育が学校で必修化されたこともあり、ますますプログラミングの認知度は上がり空前のプログラミングブームが巻き起こっています。一方で、これだけ大勢の人がプログラミングを勉強しはじめているのだから「今からプログラミングを勉強しても、もう遅いのでは?」「AIの台頭により将来的にエンジニアの仕事はなくなるのでは?」という意見もあります。

　しかし、**プログラミングは将来性のあるスキル**だと断言できます。その理由について、3つ挙げていきたいと思います。

▣ 理由①ITニーズの需要拡大

　私たちの日常生活において、プログラミングはさまざまな場所で活用されています。たとえば多くの人が毎日のように使っているInstagramなどのSNSやゲームアプリ、Amazonや楽天などの電子マーケットにもすべてプログラミングが使われています。

　また、自動運転に代表されるように、これからますますハード機器はソフトウェアとつながる時代になります。スマホ1つで冷暖房が自動で付いたり、カーテンが自動で閉まったり、外出先から家の鍵を閉められたりと、あらゆる機器にソフトウェアが組み込まれるようになります。そのため企業はIT技術をより一層求めており、ITニーズの需要は現在も拡大し続けているのです。

理由②IT人材不足が加速

IT人材が不足しているということは聞いたことがあるのではないでしょうか？ 実は2021年時点でのIT人材は、約30万人不足しているといわれており、2030年では約45万人もの人材が不足すると試算されています。

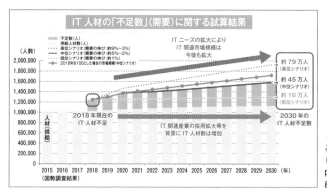

◀ 出典：IT人材需給に関する調査/経済産業省（https://www.meti.go.jp/policy/it_policy/jinzai/gaiyou.pdf）

このグラフを見てもわかるように、IT関連市場規模の拡大幅に比べて、IT人材の増加が追い付かず、今後ますますIT人材は不足していくため、プログラミングを今から勉強しても遅いということはあり得ないのです。

理由③すぐにAIに仕事が取られることはない

せっかくプログラミングを学んでも、AIに仕事を奪われてしまうのではないかと心配する方もいるかもしれません。エンジニアという仕事はただコードを書いてプログラムを作成するだけだと思われがちですが、複雑な処理をAIが記述することは不可能です。また、チームでの開発やエラー・トラブルが発生したときの対応など、できないことも多くあります。今後AI技術がどこまで発展していくかはわかりませんが、少なくともすぐにAIに仕事が奪われてしまうということは考えにくいでしょう。

 エンジニア35歳定年説って本当？

エンジニアの仕事は、納期が非常に重要でプロジェクトの進捗次第では徹夜で働き続けることもあります。また、プログラミングは高い集中力が求められるため、体力と集中力のある年齢のうちしか務まらないという「35歳定年説」があります。しかし、この俗説はなくなりつつあり、35歳以上でもプログラマーとして働いている人は多いです。ただIT業界の革新スピードは速く新しいスキルを学び続けなければならないため、常に柔軟な吸収力を持ち続けることは大切です。

序章

プログラミング副業をおすすめする理由

9

プログラミングは高単価
-月収10万円は容易-

- スキル型副業って何？
- 単価の相場

さまざまな副業がある中で、プログラミング副業をおすすめする理由は、プログラミングが即金性が高く、圧倒的に高単価だからです。副業の種類とその内容・単価の違いについて比較します。

序章 プログラミング副業をおすすめする理由

副業の種類について

まず副業は、大きく分けて3種類の副業に分類することができます。

副業の種類	説明	具体例	即金性	収益性
時間労働型	自分の時間と労働力の対価として報酬をもらう	・データ入力や文字起こし ・せどり（転売） ・アルバイト	◎	△
ストック型	自分のオリジナルコンテンツをネット上にストックし、いつでも収益を生み出せるようにしておく	・投資（株や不動産など） ・YouTuber ・ブログ ・フォトストック※	△	○
スキル型	自分のスキルを使いその対価として報酬をもらう	・イラスト販売 ・Webライター ・動画編集 ・翻訳 ・プログラミング	○	◎

※フォトストックとは、写真素材販売サイトに登録し販売をすることで収入を得るもの

　このうち、**プログラミングはスキル型副業に含まれる**わけですが、スキル型副業のメリットは即金性と収益性が高く、また会社員に比べると働く時間帯も比較的自由なことが挙げられます。

　また、スキル型という名の通り、個人のスキルアップにもつながるため、個人の市場価値も上がることが大きな特徴です（それぞれの副業の詳しいメリットとデメリットはP.18のColumnにて解説しています）。

スキル型副業の中でもプログラミングをおすすめする理由は、**プログラミングが高単価**だからです。

同じくスキル型副業として人気のある、Webライターと動画編集とその単価の違いについてまとめてみます。

スキル	単価目安
Web ライター	1 記事あたり 1,000 円前後
動画編集	動画 1 本あたり 5,000 円前後
プログラミング	Web 制作 1 本あたり 50,000 円前後

この単価目安は、初心者が副業をはじめたときのおおよその単価目安です。

たとえばWebライターの単価の場合、1記事100円というものもあれば、1記事30,000円以上のものもあり、ライターの文章力や知識力によって単価は変わってきます。動画編集やプログラミングも同様に、案件によって単価はさまざまです。しかし、価格幅を踏まえたとしてもプログラミングの単価はほかのスキルに比べて圧倒的に高単価であることがわかります。

プログラミング案件	単価目安
WIX などのツールを使った Web 制作	20,000 円〜50,000 円
WordPress やテンプレートによる Web 制作	50,000 円〜
コーティングによる Web 制作	200,000 円〜
Python などによる Web スクレイピング	20,000 円〜
Web システム開発	100,000 円〜

クラウドソーシングサイトで実際に募集されている案件例

具体的にプログラミング副業にはどのような単価の案件があるのかを見てみましょう。プログラミングの中でも比較的かんたんといわれているWeb制作であっても5万円前後の価格帯で、**プログラミングがいかに高単価であるか**がおわかりいただけると思います。動画編集で月収10万円を目指そうと思うと月に20本もの動画を作成しなくてはいけませんが、Web制作であれば2つ完成させるだけで月収10万になります。

03 在宅&スキマ時間& PC1台でできる

🔑 1日3時間

🔑 主婦でもできる

在宅&スキマ時間でもできるプログラミングは副業にとても適しており、1日3時間の作業時間でも十分に稼ぐことが可能です。また、PC1台あればできるため初期投資が少なくはじめられます。

プログラミング副業をおすすめする理由

プログラミング副業をおすすめする理由は実はほかにもたくさんあります。ここでは3つの理由を挙げていきます。

働く場所が自由だから

まず、プログラミング副業では、納品物さえきちんと収めることができるのであれば働く場所は自由です。

在宅ワークはもちろん、カフェやコワーキングスペースなどでも働くことが可能ですので、子どもが小さい主婦の方でも取り組むことができます。また、働く場所が指定されず、通勤時間などの無駄な移動時間を割く必要もなくなりますので、より多くの時間を捻出することができます。

スキマ時間でできるから

プログラミング副業はスキマ時間でも行うことが可能です。著者の場合は1日3時間の作業だけで副業を実施しています（次ページ参照）。プログラミングというと長時間パソコンに向かっていないといけないというイメージがありますが、作業工程を分割することでスキマ時間だけでも十分に作業を行うことが可能です。

PC1台でできるから

プログラミング副業では、PC1台あれば実施することが可能なため、初期投資が少ないことが特徴です。おすすめのパソコンについては、第1章Sec.09「プログラミング副業をはじめるために必要な環境」で解説しています。

◉著者の1日タイムスケジュール

ここで、実際に著者がどのように副業を実施しているか、1日のタイムスケジュールを公開します。スケジュールを見てもわかる通り、副業にかけている時間は1日3時間だけです。休日も本業の勤務時間が家族サービスに代わるだけなので、ほとんど作業時間は変わりません。

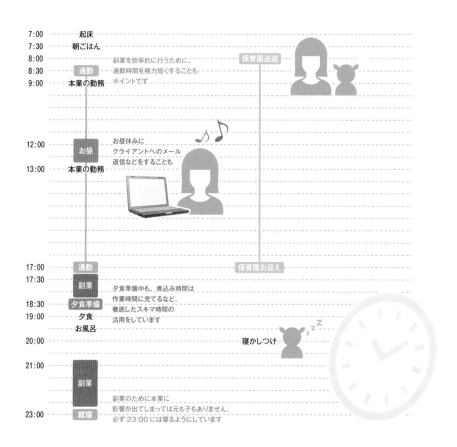

 スキマ時間がない？　そんなはずはない！

あなたは1日あたりどのくらいのスキマ時間があるかご存じですか？　とあるアンケート調査によると、スキマ時間は1日平均1時間9分あるが、約8割の人はこの時間を無駄に過ごしているという結果が出ています。SNSやテレビなどで気が付かないうちに時間を使っていることがあります。まずは、自分のスキマ時間をどのように過ごしているのか認識してみましょう。

Section 04 文系プログラミング副業の需要は高まっている

🔑 エンジニアの種類
🔑 文系プログラマーの需要

プログラミングというと「理系」のイメージが強く、文系出身が
プログラミングを勉強したところで、理系プログラマーには敵わ
ないのでは? と思う方も多いはず。実はそうでもありません。

✏️ エンジニアにもいろいろな種類がある

　プログラミングやエンジニアというと理工学部や情報工学部出身の人が多く、一般的には「理系」のイメージが強いのではないでしょうか? 本書を読まれている皆さんの多くは、プログラミング未経験の文系出身にもかかわらず、副業でプログラミングを使って稼ごうとしていると思います。だとすると、専門的に学んできた理系出身、本職のプログラマーには敵わないのではないか? せっかく勉強しても案件が受注できないのではないか? と思う方もいるかもしれません。しかし、エンジニアと一口にいっても実はたくさんの種類があり、難易度もさまざまです。

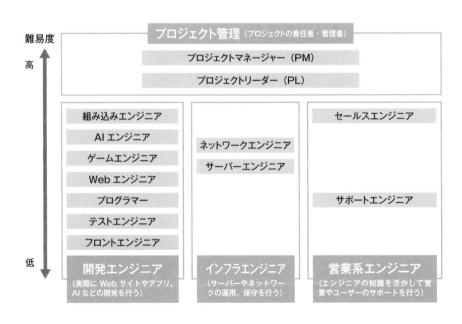

文系プログラミング需要が多いわけ

　本書ではおもに、左ページの「開発エンジニア」の中のWeb制作エンジニア（フロントエンジニア）の案件で報酬を得ることを解説していきます。

　Web制作エンジニアは文系の人でも挑戦しやすく、ねらい目の領域です。なぜかというと、専門的にプログラミングを勉強してきた理系の本職プログラマーは、この領域にあまり入ってこないからです。しかし、一方で、Web制作を含むフロントエンジニアの需要は高く、案件数も多いという現状があります。

　下の表は、クラウドソーシングサービスに登録されている実際の案件数の事例ですが、Web制作の案件数がもっとも多いことがわかります。

ジャンル	案件数
Web 制作	1,131 件
Web システム開発	839 件
アプリ開発	197 件
サーバー保守管理	115 件

　つまり、**フロントエンジニアになる理系プログラマーが少ないにもかかわらず、フロントエンジニアの需要は高く、案件数も多いのです。**

　Web制作を含むフロントエンジニアは、文系出身のプログラミング未経験者でも独学でも十分に習得できる領域です。**これが文系プログラミング需要が多い理由**なのです。

 エンジニアとプログラマーの違い

エンジニアとプログラマーは同じものと思われがちですが、実は大きく異なります。かんたんにいうと、エンジニアはクライアントが作りたいと思うシステムの詳細を聞いて設計書を書く人で、プログラマーは設計書通りにコードを書いてシステムを構築していく人です。

本書で学ぶ流れ

🔑 本書の概要

🔑 各章のポイント

本書は、「プロラグラミングはまったくの初心者」という方のためプロラグラミングの概要から解説します。また、スキルを身に付ける方法・副業のはじめ方・収入を上げていく手順を学びます。

✒ 本書で学んでほしいこと

ここまで、プログラミング副業をおすすめする理由として、

- ・**プログラミングスキルの将来性があること**
- ・**プログラミングスキル価値の高さ**
- ・**初期投資が低く自由な働き方ができること**
- ・**文系プログラミング需要高**

について解説してきました。

上記のことから、プログラミングスキルを身に付けても損はないということはおわかりいただけたと思います。

本書は、知識ゼロの状態からプログラミングを学び、そのスキルを活かして副業にこれから挑戦してみたいという方向けに書かれています。"プログラミングとは何か"という基礎知識から、具体的にスキルを身に付ける方法・副業としての仕事のはじめ方・月10万円に達するまでの収入の上げ方について解説していきます。

実は著者も大学ではプログラミングに一切触れることなく卒業しました（当時はパソコン操作すらままなりませんでした）。その後、事務系職場の会社員として働いていたため、プログラミングに関してはまったく知識ゼロの状態でした。それでも会社員として働きながら、さらに2人の子供を育てながら、スキマ時間にプログラミングを1から学びはじめ、実際に副業をスタートさせています。そして今では会社員の収入を超える月もあるほどになりました。

本書では、初心者が会社員をしながら、主婦でも副業で月10万円を達成できた経験をもとに、そのノウハウを余すことなく紹介していきます。本書がプログラミング副業をはじめるきっかけになれば幸いです。

各章で学ぶポイントまとめ

本書は全7章構成になっており、それぞれの章で学ぶポイントについてまとめていきます。

第1章

**副業プログラミングを
はじめよう**

プログラミングとはそもそも何かを理解したうえで、副業市場で需要のあるおもなプログラミング言語について実際のコードにも触れながら概要を学びます。またプロラグラミング副業をはじめるうえで必要な環境やスキルについても紹介します。

第2章

**プログラミングスキルを身に付ける
方法を知ろう**

プログラミングスキルの習得方法・心構えについて学びます。
また、スキル習得後、副業開始までに行うロードマップについても解説します。

第3章

**クラウドソーシングサービスで
仕事をしてみよう**

クラウドソーシングサービスの概要を学んだうえで、実際に仕事のはじめ方について解説します。

第4章

**難易度別!
Webサイト制作副業をやってみよう**

Webサイト制作副業について深堀りしていきます。具体的な作業手順ではなく、Webサイト制作の種類と難易度・特徴・単価などの概要を把握します。

第5章

**その他のプログラミング副業にも
挑戦しよう**

Webサイト制作以外で初心者でも取り組みやすいプログラミング副業について解説します。

第6章

**月10万を目指す!
ステップアップ方法**

収入を増やしていく方法について学びます。月10万円を目指してステップアップしていく方法を解説します。

第7章

**副業で得た知識を応用して
相乗効果を狙え!**

プログラミングスキルは本業やほかの副業とかけ合わせることができ
きます。相乗効果で収入全体を上げていく方法を学びます。

Column

「時間労働型・ストック型・スキル型」
副業のメリットとデメリット

● 時間労働型

時間労働型では、収入は一時的にアップしますが、個人のスキルはアップしないため、長い目で見るとあまりおすすめはできません。また、時間を切り売りすることになるため、副業として取り組む場合、本業と合わせると長時間労働になりかねません。

● ストック型

ストック型副業では、仕事をすればするだけ自分の財産となり、それが自動収益を生み出してくれることが最大のメリットです。会社員の場合は、働いて得たものは会社の財産になるので、自分の財産が増えるわけではありません。しかし、ストック型副業の場合は働けば働くほど、自分の財産が増えていきます。これは会社員との大きな違いの1つです。また、働く時間帯が個人の自由というメリットもあります。

一方、ストック型副業のデメリットは、収益が発生するまでにかなりの時間がかかるという点です。たとえばYouTuberの場合であれば、動画を毎日作り続けても、ほとんどの人はまったく稼げない期間が半年～1年以上ありますし、そのままずっと稼げないということもあります。また投資の場合であればマイナスの収益になることさえありえます。

● スキル型副業

スキル型副業の場合は即金性と収益性が高く、スキルを使った作業をすればするだけ収入につながるというメリットがあります。また会社員に比べると働く時間帯も比較的自由です（納期がありますので、個人の裁量内でのスケジュールを組む必要はあります）。

一方、デメリットとしては、そもそもスキルがないとはじめられないので、そのスキルを身に付ける必要があるということです。スキル習得には費用がかかることもあります。しかし一度身に付けたスキルは個人スキルとして、使い続けることができます。

第 1 章

文系プログラミング副業を
はじめよう

Section 06

そもそも
プログラミングって何?

🔑 プログラミング言語
🔑 プログラミングの例

プログラミングとは、コンピュータが理解できる言語を使って、手順を書き出し指示することです。プログラミングによって正確な高速処理が可能になり私たちのあらゆる生活を支えています。

✍ プログラミングって何?

プログラミングとは、「コンピュータが理解できる言葉で、仕事内容を順番に書き出し、指示を渡すこと」です。プログラムには、「計画」や「予定」といった意味があり、たとえば、演奏会や運動会の演目や種目のスケジュールをまとめたものもプログラムと呼びますよね。コンピュータにおけるプログラムも同様に、コンピュータが行う動作を順番に記述したもので、その作業をすることをプログラミングといいます。

プログラミングには、さまざまな言語が使われています。これを「プログラミング言語」といいます。私たちが会話をするときに、「言葉(言語)」を使いますよね。この「言葉」にはさまざまな種類があり、伝える相手によって使い分けます。たとえば、日本人と話をするときには「日本語」、アメリカ人と話をしたければ「英語」、フランス人と話をしたければ「フランス語」といった具合です。これと同様に、人間とコンピュータが会話をするときには「プログラミング言語」を使います。

この「プログラミング言語」にもさまざまな種類があり、作りたいものによって使い分けます。たとえば、Webサイトを作りたいときは「HTML/CSS」、Webアプリを作りたいときは「Ruby」、データ分析をしたいときは「Python」といった具合です。

プログラミングで何ができる?

　プログラミングを使うと、人間の思考速度などとは比べ物にならないほど超高速処理を実現することができます。たとえば、Twitterは膨大な数のユーザー登録・管理や投稿、いいねを付けるというようなことがリアルタイムに行われていますが、これを人間だけで反映するのは100%不可能です。

　また、プログラミングというとパソコン上で動くものと思われがちですが、実はもっと身近なところでもプログラミングが使われています。自動車のナビ・テレビの録画装置・冷蔵庫や洗濯機などの家電などにもプログラミングが使われており、私たちは毎日どこかでプログラミングに触れているのです。

◻ プログラミングでできることの例

ゲーム開発	スマホゲーム、家庭用ゲーム機用ゲーム、ゲームセンターなどのゲーム、パソコンゲーム
スマホアプリ開発	LINE などのチャットアプリ、ゲームアプリ、動画アプリ、電子書籍アプリ、フリマアプリ
Web サイト作成	ホームページ、ネットショッピングサイト
Web サービスの開発	メール、Skype、YouTube、Web 決済、Google 検索
電子機器の制御	テレビ、冷蔵庫、電子レンジ、生産機器ロボット
システム開発	銀行口座のシステム、ホテルなどの空席情報システム、オンラインストアの注文システム
人工知能開発	お掃除ロボットの空間認識、Siri や Alexa のような音声認識、顔認識

Memo　プログラミングのここがスゴい!

　プログラミングでは人の何万〜何億倍も高速かつ正確な処理をこなすことができます。一般的なコンピュータであれば、1秒間に800万から1,000万回程度の計算(命令の実行)を行うことができます。また、プログラムに書かれた内容を一言一句間違えることなく正確に処理できるので、ミスをすることは絶対にありません。このようなことは人間の思考回路では絶対に不可能ですよね。

Section 07

おもな
プログラミング言語の紹介

🔑 言語別の案件数
🔑 それぞれの言語の特徴

プログラミング言語には、それぞれ得意不得意がありできること
が異なります。ここでは代表的なプログラミング言語について特
徴を解説し、学習難易度についてもまとめていきます。

🖋 需要の高いプログラミング言語の紹介

　プログラミング言語は、ある程度のユーザー数がいる言語に限っても250言語以上存在
しています。それぞれの言語によって得意不得意があり、活用先の技術や需要も異なりま
す。まったく需要のない言語を勉強しても副業として成り立ちませんので、プログラミング
学習の種類に応じてどのくらいの需要があるのかをチェックしておくことが重要です。

　下記の表は、クラウドソーシングサイトに登録されている言語別案件数と転職市場にお
ける言語別のエンジニア求人数の事例を表したものです。

言語	案件数
HTML	70,679 件
PHP	23,828 件
CSS	21,073 件
JavaScript	10,464 件
Java	5,492 件
Excel VBA	4,015 件
Ruby	3,829 件
Python	3,138 件

▲ クラウドソーシング案件数

言語	求人数
Java	7,965 件
JavaScript	6,075 件
PHP	5,787 件
Python	3,493 件
Ruby	3,267 件
C#	3,020 件
C++	2,038 件
Swift	1,780 件

▲ 転職サイトの求人数

　これを見てもわかる通り、転職に需要がある言語と、クラウドソーシング上で需要がある
言語だけでもまったく違います。**副業として見るべきは、クラウドソーシングサイトの案件
数です。**本書では、このうち初心者でも学びやすい7言語について詳しく紹介します。

❏ Excel VBA

VBAとは、Visual Basic for Applications（ビジュアルベーシックフォーアプリケーション）の略称で、Microsoft Office製品に搭載されている簡易的なプログラミング言語です。その中でもExcel VBAはおもにExcelの自動化プログラムを作成するときに使用する言語で、一般的にはExcelマクロと呼ばれていることが多いです。

Excel VBAを使うと、Excel上での作業はほとんど自動化することができますし、実はExcel以外にもMicrosoft Office系ソフトも自動化することができます。

Excel VBAでできること

・シートを個別ブックに分割or結合する

・ファイル名称を一括で変更する（画像データ.jpgの名称なども変更できる）

・大量のフォルダ作成を一気に作成する

・複数のExcelデータを集計表に転記する

・データベースから必要な情報だけ抜き出す

・提出物のチェックを行う

・Outlookメールを一斉に送信する

⊙ Excel VBA ってこんなコード

```
Sub foldersakusei()
    Dim i As Long
    For i = 2 To Cells(Rows.Count, "A").End(xlUp).Row
        MkDir ThisWorkbook.Path & Cells(i, "A")
    Next i
End Sub
```

これは新規フォルダを一気に作成してくれるコードだよ

◘HTML/CSS

HTMLとは、Hyper Text Markup Language（ハイパーテキストマークアップランゲージ）の略で、Webページを作るためのもっとも基本的な言語の1つです。普段、私たちがブラウザで見ているWebページのほとんどが、HTMLで作られています。

たとえば、パソコンでWebサイトを表示し、右クリックで「ソースの表示」をクリックしてみてください。英語がずらっと並んだ画面が表示されるかと思いますが、これがHTMLです。

CSSとは、Cascading Style Sheets（カスケーディングスタイルシート）の略で、HTMLで作られたWebページに装飾やレイアウトなどのデザインを加えるための言語です。たとえば、文字サイズ・背景色を指定したり、余白を調整したりすることができます。

HTML/CSSでできること
・HTMLでWebサイトの内容を作ることができる
・CSSでWebサイトの見た目を作ることができる

◉HTMLってこんなコード

```
<html>
<head>
<title>ホームページタイトル</title>
<link rel="stylesheet"
href="css/style.css">
</head>
<body>
<h2>こんにちは！</h2>
<p>ホームページへようこそ！</p>
</body>
</html>
```

◉CSSってこんなコード

```
body {
  margin: 0px;
  padding: 0px;
  color: #000080; /*文字色*/
  font-size: 16px; /*文字サイズ*/
  line-height: 3;  /*行間*/
  padding-left:2em; /*インデント*/
  background: #ffc0cb; /*背景色
*/
}
```

HTMLはこのように、<>で囲んだHTMLタグというものを使っているんだ。この記述だとこんな表示になるよ

CSSを追加すると、このように装飾が付くよ

◘ JavaScript

JavaScriptはもともとHTMLやCSSなど、ほかのプログラミング言語と組み合わせて使うことで、**Web上でアニメーションを動作させることができる言語**です。たとえば、Webサイト上のスライドショーや、ドロップダウンメニュー、「TOPへ戻る」をクリックすると、上にぐーんと上がっていく動きなどがイメージしやすいかもしれません。JavaScriptは「非同期処理が可能」という大きな特徴があります。非同期処理とは、ある処理が終了するのを待たずに、別の処理を実行することです。これによってWebサイトのページを更新しなくてもWebサイトを動かすことができるわけです。

基本的にホームページは、前項で紹介した、HTML/CSSとJavaScriptと画像データで構成されていることが多いです。

しかし、JavaScriptの開発が進み、今ではWeb上の動きを付けるだけではなく、JavaScriptだけでスマホのアプリ・ゲームなどを作ることも可能になっていて、あらゆるサービスでJavaScriptが利用されています。

JavaScriptでできること

・Webサイトに動きを付けることができる
・アプリ開発もできる

◉JavaScriptってこんなコード

```
<script>
    alert("Hello");
</script>
```

JavaScriptは<script> 〜 </script>で指示内容を囲むんだ

こんなメッセージが出るよ

○ PHP

　PHPとは、Hypertext Preprocessor（ハイパーテキストプリプロセッサ）を意味する、**動きのあるWebサイトを作成するための言語**です。JavaScriptとの違いは、JavaScriptはクライアントサイド言語であるのに対して、**PHPはサーバーサイドの言語**であることです。かんたんにいうと、Webサイトを動かすときに、Webサイトを見ているユーザー側（クライアント側）のブラウザで行われるか、サーバー側で動かすかという違いです。PHPはサーバー側を動かすので、サーバー上にアップロードされた状態でないと動きません。

　PHPを使うと、たとえば問い合わせフォームでユーザーが入力した内容によって、確認画面などで表示される内容が変わったり、掲示板で投稿された内容に基づいてWebサイトに自動的に反映されたりといった動きをすることができます。Webサイトを作成するツールにWordPressという有名なアプリがありますが、これもPHPによって作られています。

PHPでできること
・掲示板や問い合わせフォームを作ることができる
・ショッピングカートを作ることができる
・WordPressが作られている

⊙ PHPってこんなコード

```php
<?php
    mb_language("Japanese");
    mb_internal_encoding("UTF-8");

    $to = $_POST['to'];
    $title = $_POST['title'];
    $content = $_POST['content'];

    if(mb_send_mail($to, $title, $content)){
     echo "メールを送信しました";
    } else {
     echo "メールの送信に失敗しました";
    }
?>
```

PHPは<?php 〜 ?>で指示内容を囲むんだ。HTMLと組み合わせて、右のようなメールフォームからメール送信ができるよ

第1章　文系プログラミング副業をはじめよう

26

◘ Python

Pythonとは、オランダ人のグイド・ヴァンロッサムによって開発された、書きやすさと読みやすさを重視して開発されたプログラミング言語です。**PythonはAI（人工知能や機械学習）分野の開発に使われているケースが多いため、近年ますます注目されています。**

これまで紹介してきたプログラミング言語と違い、開発環境を構築するためにPythonをインストールしたり、クラウドの開発環境に入ったりする必要があります。

Pythonはプログラミング言語の中では比較的初心者でも学びやすいといわれていますが、それは、ライブラリという便利な機能が充実しているからです。ライブラリとは、必要な機能がプログラミングパッケージ化されたもので、ゼロからプログラミングをしなくてもライブラリを利用するだけですぐに実現できます。

Pythonが使われている有名なサービスとしては「YouTube」や「Instagram」などがあります。

Pythonでできること
・データベースの操作・分析
・Webサイト上のデータ収集
・人工知能の開発
・Webアプリケーションの開発
・ブロックチェーン技術開発

◉Python ってこんなコード

```
def tashizan(x, y) :
    kotae = x + y
    return kotae
tashizan(8,15)
```

```
入力 [1]:  def tashizan(x, y) :
              kotae = x + y
              return kotae
          tashizan(8, 15)
出力[1]:  23
```

※Jupyter Notebook使用

あまり記号っぽくなく読みやすいね。このコードを実行すると23という答えが返ってくるよ

Pythonのコード入力と実行結果はこんな感じだよ

◘ Ruby

Rubyとは、日本人のまつもとゆきひろ氏によって開発されたプログラミング言語で、国産のプログラミング言語としては日本ではじめて国際規格に認証された言語です。ほかのプログラミングに言語に比べてコードの記述力が少なく、シンプルで書きやすいという特徴があります。

Pythonと同じく、開発環境を構築するためにソフトウェアのインストールが必要です。

Ruby**はWeb上で動くアプリケーションの開発に向いている言語**で、Ruby on Railsというフレームワーク（テンプレート）を使えば、初心者でも比較的かんたんにプログラミングをすることができます。

Rubyが使われている有名なサービスとしては「クックパッド」「クラウドワークス」などが挙げられます。

Rubyでできること
・Webアプリケーションの開発
・スマホアプリの開発

⊙Ruby ってこんなコード

```ruby
if ARGV[0] == "good" then
    puts "This is good"
else
    puts "This is bad"
end
```

> goodと入力されたら、「This is good」と表示し、それ以外は「This is bad」と表示してくださいという指示だよ

◉ 言語による学習難易度表

言語	種類	難易度	解説
Excel VBA	フロントエンド （クライアントサイド） 言語	★	文系でもなじみのある Excel で比較的習得しやすい。マクロの記録を使えば、コードが一切わからなくても VBA コードが記録できる
HTML/CSS		★★	もっとも基本的な言語で難易度も低い。開発環境もメモ帳さえあればできるので、学習ハードルも低い
JavaScript		★★★	少し難易度は上がるが、文系初心者でも十分習得可能な言語
PHP	バックエンド （サーバーサイド）言語	★★★★	少し難易度は上がるが、文系でも習得可能な言語
Python		★★★★★	本格的なプログラミング言語になってくるため、作業環境の構築から必要。学習ハードルは少々高いが、プログラミング言語全体からするとわかりやすい言語
Ruby		★★★★★	Web 上で動くアプリケーションの開発に向いている言語で、初心者でも、頑張ればサービスをリリースすることができる

▣ 初心者へのおすすめ言語は？

　一般的には、フロンドエンド言語のほうがかんたんなので、学習の取りかかりとしてはフロンドエンド言語からはじめることをおすすめします。また、副業をしていくという観点から見るとフロンドエンド言語のほうが案件数は圧倒的に多く、初心者でも案件を獲得できる可能性が高いという意味でも、フロンドエンド言語のほうがおすすめです。しかし、**プログラミング学習においてもっとも重要なことは、「自分が何を作りたいと思っているか」を明確にすることです。**

　プログラミング言語は、語学と同じです。「語学の中では英語がかんたんそうだから……」という理由で勉強をしてもなかなか上達しません。逆に「インドネシアの友達と会話がしたい！」と明確な目標があれば、難しいインドネシア語も習得できます。

　Webサイトを作ってみたい！　と思う人は、HTML/CSS/JavaScriptなどを勉強することをおすすめしますし、Webサービスをリリースしてみたい！　人工知能に触れてみたい！　という人はRubyやPythonを勉強することをおすすめします。

Section
08
プログラミングの
ワークフローを知ろう

プログラミング副業をするうえで、納品までの大まかな流れ（ワークフロー）について理解しましょう。実はプログラミングを実装する前にも大切な要件定義という工程があります。

🔑 納品までの流れ

🔑 要件定義

✒ 仕様の検討から納品までの流れ

　システムを開発するときには、まず「ヒアリング・企画」が欠かせません。発注者がどんなシステムをほしがっているのかを正確に把握し、コミュニケーションを通してイメージを明確にしてあげることが、開発への近道となります。

　たとえば、「カレーが作りたいです」とお願いされても困りますよね。辛さは？　具材は？　予算は？　何時までに食べたいの？　など、具体的な要望が必要です。もしかしたら本当に解決すべき課題は「お腹が空いた」ということであって、作るものはカレーでなくてもよいのかもしれません。

　システム開発でも同様に、**解決すべき課題をヒアリングし、課題解決に必要な要望をまとめ予算や納期を企画提案します。**

　企画が通ると、次は要件定義をします。要件定義とは現状の課題・開発の目的から、課題の解決方法・具体的な実装方法を決めることです。クライアントは「こんなシステムがあったらいいな」というざっくりとしたイメージしか伝えてこないケースが多いです。その要望の裏側にはどんな課題があって、課題解決に向けてどんな機能が必要で、それが技術的に可能なのかを協議して決めていくという工程が要件定義なのです。この要件定義をいかに正確に行うかで、システム開発が手戻りなくスムーズに進むのかが決まります。

　そして、要件定義に基づいて実際にシステム設計を行います。システム設計には画面設計・機能設計・データ設計のおもに3種類があります。Webサイト制作の場合は画面設計のみという場合が多いです。

　ここまで来てようやくプログラミング実装に入ります。設計内容に基づき、プログラミングを実施し、テストを行いエラー修正を行ってから納品します。納品後にシステム運用のサポート・保守が必要なこともあります。

第1章 文系プログラミング副業をはじめよう

⊚ワークフロー

ヒアリング・企画	・解決すべき課題をヒアリング ・課題解決に必要な要望をまとめる ・要望の実現性を考え企画を提案する（予算や納期）
要件定義	・機能要件をまとめる ・具体的な使い勝手と実装方法をまとめる
システム設計	・画面設計（どんな見た目の画面を作るのかレイアウトを設計する） ・機能設計（どんな機能を付けるのかと処理内容を設計する） ・データ設計（データの流れと具体的な中身を設計する）
プログラミング	・設計内容に基づいてプログラミングを実装する
テスト	・設計通りに動くか確認する ・エラーが出る場合は、修正する
納品	・納品する
保守	・運用をサポートしていく

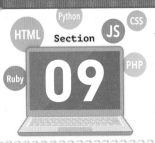

Section 09 プログラミング副業をはじめるために必要な環境

プログラミング副業をはじめるために必要なパソコン、作業環境について紹介します。ただし、これでなくてはいけない！ ということはまったくなく、普通にパソコンがあれば十分作業可能です。

🔑 おすすめのパソコン

🔑 作業環境

✏️ おすすめのパソコン

まず、Mac派かWindows派で悩むと思いますが、これは開発用途によって選ぶべきパソコンが違います。たとえば、RubyなどでWeb開発をする人や、iOSアプリ開発をした人はMacがよいですし、WindowsアプリやVBAを勉強したい人はWindowsがよいでしょう。Web制作をしたいのであれは、どちらでも構いません。

プログラミングをするだけであれば一般的にMac人気のほうが高い傾向にありますが、プログラミング副業をするというううえでは、ExcelやWordといったOfficeアプリが入ったWindowsをおすすめします。クライアントからの資料はOfficeアプリを使用することが多いからです。

パソコン選びで重要なのはスペックです。あまり低スペックなパソコンでは、動作が遅かったりして作業効率に影響します。パソコンのスペックを確認するポイントは4つです。

ポイント	解説	おすすめスペック
CPU	パソコンの頭脳	i5 以上
メモリ	作業ができる広さ	8GB 以上
ストレージ (HDD/SSD)	データを保管する場所	256GB 以上
画面サイズ	パソコン画面の大きさ	14 インチ以上

上記のスペックがあれば、どんなパソコンでも構いません。どうしても選べないという人は富士通 LIFEBOOK WU2/E2、Microsoft Surface Laptop2、Macbook Pro、Dell Inspiron 14といった機種がおすすめです（2021年7月現在）。

　プログラミングを実施するうえでは、大前提としてインターネット環境が必要です。わからない部分を調べたり、サーバーと連携したりするためにはネットにつながっていなければいけません。その前提のうえで、基本環境と応用環境について解説します。

□ 基本環境

　プログラミングを効率よく行うためには「テキストエディタ」が必須になります。無料のものでよいのでインストールしておきましょう。メモ帳などのデフォルトのテキストエディタでもプログラムが書けないわけではないのですが、テキストエディタを使うと文字の色付けがされたり、ハイライト機能がありますので、どの部分に何が書かれているのか視覚的にわかりやすくなります。

初心者向きシンプルなテキストエディタ

- **TeraPad**：HTMLや主要言語のハイライト表示、行番号の表示が可能。動作がシンプル。
- **サクラエディター**：Java/HTML/C言語などのハイライト表示に対応。Grep機能などの拡張機能も。
- **Visual Studio Code**：主要言語の多くをサポート。デバック機能もあり。
- **Atom**：macOS対応。コーティングをサポートする機能が充実。
- **paiza.IO**：オンライン上で利用できるテキストエディタ機能。オンライン上でプログラミングを実行できる。

※Web制作をするだけであればTeraPadで十分です。

□ 応用環境

　テキストエディタでは、基本的にプログラミングでソースコードを書くことしかできません。プログラミングを実際に実行したり、Web上にアップしたりする場合には、サーバーとの連携が必要です。たとえば、Web制作でサイトをアップするためには、FTPソフトが必要（付録でインストール方法解説）ですし、ソフトウェアを開発するにはエディタでソースコードを書いたあとにコンパイラをしたり、プログラムのバグを見つけるためにデバッグをしたりするソフトが必要です。また、使用する言語によってインストールするソフトも変わってきます。目的に合わせたソフトをインストールして、開発環境を整えましょう。

10 プログラミング副業を するうえで必要なスキル

プログラミング副業をするうえで必要なのは、プログラミング知識だけではありません。副業といえどもやることは個人事業主です。当事者意識やタスク管理能力などのスキルが必要です。

🔑 必要な意識・能力

🔑 勉強する習慣

✒ プログラミング副業をするうえで必要なスキル

　ここからは少し違った観点からプログラミング副業をはじめるためのスキルについて解説します。プログラミング副業をするうえで必要なのは、プログラミング知識だけではありません。副業とはいってもやることは個人事業主と同じです。個人で事業を進めていくためにはさまざまなスキルが必要になります。

🔲 当事者意識

　プログラミング副業をするうえでは、**当事者意識**が必要です。当事者意識とは、主体性・責任感ともいい換えられます。クライアントから仕事を請け負う以上、主体性を持って仕事に取り組む姿勢がなければ仕事がそもそも成り立ちません。また、責任感を持って仕事を最後までやりきることができなければお金をもらうことはできません。

　たとえば会社員であれば、会社から役割が与えられ、やるべき仕事内容も与えられることが多いので、指示されたことをこなせば、とりあえずお給料がもらえます。しかし普段からいわれたことしかできない、受け身で仕事をしている人は、プログラミング副業を行うことは難しいといえるでしょう。プログラミング副業を行うためには、自ら考え、判断し、行動しなければいけません。当然どのように行動すべきか誰も教えてくれませんし、マニュアルもありません。**当事者意識を持って行動できるスキルがプログラミング副業には必要です。**

ここでチェック！当事者意識がない人の特徴

- ✔他力本願で受け身で仕事をしている
- ✔途中で物事をあきらめてしまう
- ✔いいわけが多い（人のせいにする）
- ✔マニュアルがないと動けない
- ✔付加価値が付けられない
- ✔自分で判断、決断ができない

◘ タスク管理能力

　プログラミングに限らずですが、副業をするうえでは**タスク管理能力**は必須スキルになります。特にプログラミング副業の場合は、数週間〜数カ月に渡ってのプロジェクトになることが多いからです。たとえば、ホームページ作成であれば、全体レイアウトの作成・ページ構成検討・テキストの文字起こし・画像探しや加工・サーバーの準備など、1つのプロジェクトを細かいタスクに分割し、毎日少しづつ作業していく必要があります。その際に、各タスクの進捗状況をしっかり管理し、実行していく力がないと納期までに間に合いません。会社員の場合は、副業に充てられる時間は多くても1日数時間だけです。この限られた時間内でクライアントの望むアウトプットを必ず出すためにはタスク管理能力が重要です。

　また、「**副業に充てられる時間をそもそも増やすこと**」も、タスク管理能力の1つといえます。私たちは毎日生活しているだけで、顔を洗う・着替える・仕事に行く・買い物をする・ごはんを食べる・寝るという多くのタスクをこなして生きています。ここに副業時間を入れこもうとするわけですから、今まで通りの生活をしていては、副業タスクをこなすことはできません。日々のタスクを把握し副業タスクを入れられるように管理できる力が重要です。

　まず、自分が日々どんなタスクをこなしているのかを洗い出し、そこに優先順位を付けてみてください。そして優先順位の低いタスクは辞めてみることも1つの手かもしれません。たとえば、残業を辞める・SNSを見ない・朝布団の中でダラダラしない・飲み会に行かない、などです。もちろん、優先順位は人によって違いますが、副業の優先順位を上げすぎて本業に支障が出てしまっては本末転倒だと考えています。著者の場合は、副業に力を入れすぎて育児がおろそかにならないように心がけています。

おすすめ！ タスクは1週間トータルで管理しよう

　著者の場合、本業・家事・育児との両立のため、まとまった副業時間を確保することはできません。また急な子どもの体調不良などで予定していた副業時間がなくなることもしばしばあります。

　そこで、1週間トータル法というスケジュール管理法を実施しています。これは、1週間内で実施すべきタスク目標を決め、もし実施できなかった場合はその1週間内で必ず調整をする方法です。また、「スキマ時間が30分しかない」と思うと、ダラダラと何もできずに終わってしまうのですが、これが1日4回あれば2時間、1週間トータルすると14時間もの時間があることになります。

　このように1週間トータルで考えると「14時間もの時間があるのだからできることがあるはずだ！」というモチベーションを保つことができ、スキマ時間を有効に活用する習慣が身に付くのでおすすめです。

◻ コミュニケーション能力

　最後に、必要なスキルとしては**コミュニケーション能力**が挙げられます。Sec.08「プログラミングのワークフローを知ろう」でも紹介しましたが、クライアントがどんなものをほしがっているのかを正確に把握し、コミュニケーションを通してイメージを明確にしてあげる必要があります。また、副業といっても個人で仕事を受注するわけですから、営業力が低いと、仕事を受注することはできません。営業力というと「仕事を獲得する力」と思われがちですが、クライアントと良好な関係を保つ力、自分を売り込める力も「営業力」の1つです。特に、最近は個人の発信力が問われる時代です。副業をしていくうえでも自分のスキルを情報発信し、顧客にアプローチしていく力が求められています。

　これらにはコミュニケーション能力が欠かせません。

◉ プログラミング副業をするうえで重要な能力

当事者意識

主体性、責任感を持って最後までやり切れるかが大事。自ら考え、判断し、行動しなければならない。

タスク管理能力

オーダーに対して計画を組み、進捗を確認してタスク管理することが大事。また、時間の使い方に優先順位を付けるスキルが必要。

コミュニケーション能力

コミュニケーションを通してクライアントのニーズを正確に把握し、イメージを明確にする。レスポンスの速さ、正確さも重要。

 実は副業で成功する人は本業でも活躍できる人

これまでプログラミング副業をするうえで必要なスキルとして挙げてきた、当事者意識・タスク管理能力・コミュニケーション能力というのは、実は、本業（会社員など）でも必要なスキルであるといえます。あなたの周りにいる「仕事ができる人」を思い浮かべてみてください。その人は当事者意識があって、タスク管理能力が高く、コミュニケーション力にも長けている人ではないでしょうか。副業で成功できる人は、1人で事業を立ち上げられるだけの相応のスキルがあり、どんな職場であっても活躍できる人である可能性が高いです。

副業を通して勉強する習慣を身に付けよう

　社会人の皆さんは、毎日どのくらい勉強をしていますか？　実は、社会人の平均学習時間は1日たったの6分といわれています。これは、総務省が実施している社会生活基本調査のデータ（抜粋）によるものです。

男女普段の就業状態	調査人数	テレビ・ラジオ・新聞・雑誌	休養・くつろぎ	学習・自己啓発・訓練
総数	332,400人	138分	96分	11分
有業者	202,377人	100分	86分	6分

総務省統計局「平成28年社会生活基本調査」より
URL：https://www.stat.go.jp/data/shakai/2016/pdf/gaiyou2.pdf

　私たちは、学生時代には1日に何時間も勉強していたはずなのに、なぜか社会人になると途端に勉強しなくなります。その理由はやはり1日の大半の時間を仕事に費やさなければいけないことが大きいのですが、勉強をしてスキルアップをしても、それが給料に直接反映するわけではないため、メリットを感じられないという理由が大きいのかもしれません。

　しかし、副業をすると、毎日勉強しながらアウトプットすることの連続になります。そして、副業の場合は勉強した内容が直接収入につながるので、勉強する習慣が自然と身に付きます。これだけ勉強していない社会人の中では、**勉強をする習慣自体がスキルの1つといえるのかもしれません。**

　実は先ほどの平均6分という数字は、1日に0分と回答している多くの人たちが平均値を大幅にを引き下げているだけで、勉強を少しでもしている人たちの平均勉強時間を見てみると、約2時間になります。

　さらに、年収500万円の人の約30%、800万円の人の50%、1,500万円以上の人の約55%の人は勉強しているという調査もありますので、年収が高い人ほど勉強しているといえそうです。

　つまり、副業を通して勉強する習慣を身に付けることができれば、それだけで周囲と差を付けることができるかもしれません。

　この本を読んでいるあなたは、もしかしたらすでにほかの人より一歩先に進んでいるかもしれませんね。

Column

実は会社員も悪くない?!
フリーランスと会社員の違い

これまで、副業をするとはいえやることは個人事業（フリーランス）と変わらないという話をしてきました。実はフリーランスになると、普段会社員だと当たり前だと思っているようなことが当たり前ではなくなったりします。ここで、フリーランスと会社員の違いについて見てみましょう。

●①労働基準法の違い

会社員だっていつ会社が倒産したり、解雇されるかわからない時代とはいったものの、まだまだ会社員の給料は保証されています。日本の労働基準法上、よほどのことがない限り会社員は解雇できません。会社員は労働基準法で守られている存在ですが、**フリーランスは基本的に労働基準法が適用されません。**

●②社会保険料の違い

社会保険とは、雇用保険、医療保険、年金保険、労災保険、介護保険といった公的保険です。会社員であれば会社の規模によりますが、**半額を会社が負担してくれています。**フリーランスだと雇用保険や労災保険には入れません。また、医療保険では、傷病手当金で病気やケガで働けなくなったときに月額給料の約3分の2程度が支給されたり、出産手当金でも98日間月額給料の約3分の2程度を支給してくれたりしますので、フリーランスと会社員では給付される額に大きな違いがあります。

●③社会的信頼の違い

会社員は、会社名の肩書を持つことができますので、会社名やブランド力によって信頼を得ることができ、ビジネスのやりとりがスムーズに進みます（○○社さんの社員さんなら取引しよう!）。ほかにも、家のローンを組もうと思ったとき、たとえば勤続○年の会社員であれば社会的信頼があるのですぐに審査が通りますが、フリーランスの場合はどうでしょうか。**会社員という肩書はまだ、日本では社会的信頼を得やすいの**が現状です。

第 2 章

プログラミングスキルを身に
付ける方法を知ろう

11 プログラミングスキルの習得方法

🔑 独学

🔑 スクール

プログラミングスキルはおもに2種類の習得方法があります。独学orスクールです。具体的な学習方法と、メリット・デメリットについて解説します。

✍ 習得方法は大きく分けて2種類

　これからプログラミングを勉強してみたい！　という方はまず、プログラミングを学ぶ方法として、独学かスクールに通うかで悩むと思います。もしあなたがエンジニアとして転職したいというのであれば、間違いなくスクールに通うべきとだと断言できますが、副業で少し稼ぎたいだけなのであれば、必ずしもスクールが必要とはいい切れません。実際に著者は独学で副業をスタートさせています。習得したいプログラミング言語にもよりますが、Web制作（HTML ／ CSS）などであれば独学でも十分可能なのです。

　ここでは、独学・スクールそれぞれの方法における具体的な学び方を紹介したうえで、メリット・デメリットをまとめていきます。

◉ **プログラミングスキルの習得方法と期間・費用目安**

習得方法	具体的な学習方法	学習期間	費用目安
独学	本	約4カ月	3,000 円前後
	アプリ	約3か月	無料～ 3,000 円前後
	動画	約3か月	無料～ 3,000 円前後
	学習サイト	約4カ月	無料
スクール	オンラインスクール	約3か月	数万円前後
	通いスクール	約3か月	数十万円戦後

プログラミング学習をはじめる前に、まずは基本的なITリテラシーを身に付けておくことをおすすめします。基本的なITリテラシーやパソコンのしくみを知っておくと、プログラミング勉強にもスムーズに入ることができますし、学習中に何か問題が発生したときに解決方法にたどり着きやすくなります。

ITリテラシーには、情報基礎リテラシー・コンピュータリテラシー・ネットリテラシーの3種類があります。

情報基礎リテラシーとは、かんたんにいうとインターネット上から正しく有益な情報を見つけ出す能力のことです。プログラミング勉強を進めていくと必ずわからないことが出てきます。その際にインターネットで調べて解決する力が低いと前に進むことができません。

コンピュータリテラシーとは、コンピュータを操作する技術、あるいは知識を意味します。そもそもプログラミングはパソコンを用いて学習するわけですから、コンピュータの基本的操作ができなければはじまりません。コンピュータの基礎知識を付けるためにおすすめなのが、「ITパスポート試験」です。ITパスポート試験とは、「情報処理の促進に関する法律」に基づく国家試験で、ITについて共通に備えておくべき基礎知識を学ぶことができます。合格率は約50％程度で、知識ゼロからでも十分合格できます。

ネットリテラシーとは、インターネット上の情報の正確性を判断したり、セキュリティ対策を講じられる力のことです。インターネットを利用していると個人情報の流出やウイルス感染、不正アクセスによるなりすましなどのリスクがあります。これらのトラブルに巻き込まれないためにもネットリテラシーの向上に努めておきましょう。

IT パスポート試験｜合格のメリット
URL https://www3.jitec.ipa.go.jp/JitesCbt/html/about/merit.html

 プログラミング適性検査について

そもそも、あなたにプログラミング適性があるかどうか診断するテストがあります。「CAB検査」は日本SHL株式会社が制作した、多くのIT企業で実際に運用されている適性検査です。よく文系の就職試験で用いられているSPI試験のエンジニア版といえばイメージしやすいでしょうか。自分にプログラミング適性があるかどうかチェックしてみるのもよいかもしれません。

Section 12 独学で習得する方法

🔑 独学の費用目安

🔑 独学の学習期間

独学での具体的な学習方法を4つ紹介します。どれか1つというよりは、合わせ技がおすすめです。独学の場合は費用が安く抑えられる反面、学習期間は長くかかる傾向があります。

✏️ 独学の場合は学習方法4つ

◻️本で学ぶ（学習期間：約4カ月　費用目安：3,000円前後）

　プログラミングを本で勉強すると、**体系的にプログラミング言語を学ぶ**ことができます。たとえばHTML／CSSの本を読めば、Webサイトが1つ作ることができるようになると思います。本の選び方のポイントは、発行日を確認することです。プログラミング言語は日々進化していますので、古い本だとバージョンが異なり、うまく動かないケースもあります。また、プログラミングコードの解説集のようなものより、1つの作品を作ることを通してプログラミング知識を教えてくれるような本がおすすめです。

　本を使った学習では、基礎的な知識やしくみを身に付けることができる一方、理解したつもりになっただけで、実際にプログラミングに触れないと実践的なスキルは習得できません。そのため、指南書として1つ持っておき、あとはほかの学習方法と併せて実際に手を動かしていくことをおすすめします。

◻️アプリで学ぶ（学習期間：約3カ月　費用目安：無料～3,000円前後）

　プログラミングを学習できるアプリを活用する方法です。有名なサービスに、「Progate」（プロゲート）というサービスがあります。本来ProgateはWebサービスなのですが、アプリ版もあり**ゲーム感覚で楽しく学習する**ことができます。無料会員だと初級編しか受けられませんが、月額1,078円の有料会員だと基礎から実践レベルまで84レッスンが受講可能になります。

◻️動画で学ぶ（学習期間：約3カ月　費用目安：無料～3,000円前後）

　今は、YouTube動画を使って無料でプログラミングを学ぶことができます。現役エンジニアがオンラインスクールさながらの講義動画をアップしているので、うまく活用すれば無

第2章 プログラミングスキルを身に付ける方法を知ろう

料で学ぶことができます。ただし、無料動画の場合は、プログラミング知識を部分的に解説されていることが多く、体系的に全体像を把握することが難しいです。そのため、本で基礎知識を学んでからYouTube動画を見るという方法がおすすめです。

　また、有料動画を活用するという方法もあります。たとえば「ドットインストール」は、3分動画で少しずつ勉強できる学習サービスです。ひとつひとつの動画が短いので、忙しくてまとまった時間を確保できなくても、スキマ時間に勉強を進められます。月額1,080円で、基礎から応用まで幅広くに学ぶことができます。また、「Udemy」は世界最大級の学習プラットフォームで、10万以上の動画講座を購入することができます。現役エンジニアから実践的なスキルを学ぶ際に応用編として利用するとよいでしょう。

ドットインストール
URL https://dotinstall.com/

Udemy
URL https://www.udemy.com/ja/

◉ 学習サイトで学ぶ（学習期間：約4カ月、費用目安：無料）

　プログラミングについて解説されている学習サイトは多くあります。「シラバス」というプログラミング学習サイトは、初心者向けのWebデザインとWebアプリ作成を学ぶことができます。知識を学ぶというよりは、実践していく中でスキルを身に付けていくことができるため、初心者にも取り組みやすいです。

　「ミニツク」は、Rubyの開発者が在籍している運営会社が提供している無料の学習サイトです。ブラウザから手軽にRubyを学ぶことができます。

シラバス
URL https://cyllabus.jp/

ミニツク
URL http://www.minituku.net/

コストがかからない

独学の場合はほとんどコストがかかりません。プログラミングスクールに通うと何十万円という高額な料金がかかりますが、独学でかかる費用は書籍や動画などの教材代くらいなため、圧倒的にコスパはよいです。

自分のペースで学習可能

独学の場合は、自分のペースで好きなだけ時間をかけて勉強を進めていくことができます。プログラミングの理解に必要な時間は人それぞれですので、自分が納得できるまで繰り返し学習することができます。また社会人などで本業がある場合には、なかなかまとまった勉強時間が取れないため、スキマ時間や自分の都合が合う時間に学習を進めることができるのは、独学のメリットといえます。

好きなものを作ることができる

独学の場合は課題やカリキュラムが決まっているわけではないので、自分の好きなものを作ることができます。自分の興味がある内容について、学習を進めていくことができるので、目標が明確にある人はより効率的にゴールを目指すことができます。

自分で調べる力が身に付く

独学は学習方法からエラーの解決まで、すべて自分で行わなければいけません。そのため自分で調べる力や、問題解決能力が身に付きます。実はプログラミング学習においてもっとも大切な力というのは、この「自分で調べる力」なのです。スクールに通うと何でも聞けば教えてもらえるので、自分で解決する力が身に付きません。独学で勉強することで、この自分で調べる力も身に付けることができるのは、メリットの1つといえます。

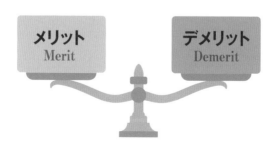

一方的なインプットのみになってしまう

独学で学習する場合の最大のデメリットは、一方的なインプットのみでアウトプットの機会がないことです。特にプログラミング学習の場合は、インプットした情報をアウトプットしてみて（実際にコードを書いて動かしてみて）はじめて理解できることが多いです。本を読んでいるだけ、動画を見ているだけでは一方的なインプットにしかならず、理解したつもりになっただけで、習得はできません。

質問ができない

プログラミングには、エラーが付き物です。このエラーを解消していくことで少しずつ理解していくという側面があります。エラーが出たときに気軽に質問ができないため、1人で悩み続けてしまい、学習自体が嫌になってしまう可能性もあります。

モチベーションが保てず挫折しやすい

独学は、その言葉の通り独りで学習することです。学習の状況や目標までのプロセスを自分でコントロールする必要があります。しかし、ついつい自分に甘くなってしまい、勉強が進まず途中であきらめてしまう人も多いです。また、1人で学ぶためモチベーションが維持できず、独学のプログラミング学習では9割の人が挫折してしまうというデータもあります。

効率的に学べない（習得までに時間がかかる）

これは、プログラミングに限った話ではありませんが、独学で勉強すると効率的に学ぶことができません。スクールや学習塾では、しっかりとしたカリキュラムが存在し、過去のノウハウからもっとも早く習得できる近道を教えてくれます。しかし独学ではまず何から学習すればよいのかもわかりません。独学の場合は効率的に学ぶことができず、習得までに時間がかかります。

スキルを身に付けても仕事につながらない可能性がある

スクールによっては、卒業後に仕事の斡旋をしてくれるところもあります。しかし独学の場合はまったくありませんので、身に付けたスキルを自分でアピールして営業していく必要があります。スキルがあっても実績がないとなかなか仕事につながらないこともあります。

Section

13

プログラミングスクールを利用する方法

🔑 スクールの費用目安

🔑 スクールの学習期間

プログラミングスクールにも種類があり、オンライン講座か通い型のスクール、もしくはその併用型です。スクールの最大の利点は効率よく学べて、挫折しにくいことです。

✒ オンラインスクールと通い型スクール

◉ オンラインスクールで学ぶ（学習期間：約3カ月　費用目安：数万円前後）

　オンライン学習では映像や動画を使ったわかりやすいカリキュラムが準備され、ビデオ通話やチャットで講師とのやり取りもできるので、初心者でも安心して学習することができます。また、オンライン学習は自宅や出先でも行うことができ、場所を選ばないため、都心部以外でも気軽に受講することができます（通い型スクールは都心で開催されていることが多いです）。

◉ 通い型スクールで学ぶ（学習期間：約3カ月　費用目安：数十万円前後）

　通い型スクールでは、実際に教室まで出かけて行って学習します。教室に学習に必要な環境がそろっており、パソコンなども準備する必要がないこともメリットです。また、通い型スクールの場合、講師のほかにも同じ志を持つ仲間にも出会えるため、圧倒的に挫折しにくいです。ただ、価格がどうしても高くなってしまうことと、場所が限られてしまうので、受講ハードルは高いです。

▲ オンラインスクール

▲ 通い型スクール

プロの講師から効率よく学ぶことができる

多くのプログラミングスクールでは、現役のエンジニアが講師となり、ほぼマンツーマンで指導を受けることができます。またカリキュラムやノウハウが確立されており、習得までの最短ルートで教えてくれるため、初心者でも効率的に学ぶことができます。

また、プログラミングは学習開始前にPCの環境構築が必要です。言語によってはこの時点でハードルが高く、初心者では学習のスタートラインに立つことすらできない場合もあります。その点スクールであれば、環境構築のサポートもしてもらえます。プログラミングの勉強をスムーズにはじめられるということも、1つのメリットです。

質問ができる（双方向コミュニケーション）

プログラミングを勉強していくと、必ずエラーの壁にぶち当たります。わからない部分が解決しないまま学習を進めていってしまうと、最終的に理解ができなくなります。プログラミングスクールの場合は、一方的な情報インプットだけではなく、相互にコミュニケーションが取れ、気軽に質問ができることがメリットです。

モチベーションが保てるので挫折しにくい

プログラミングスクールの場合、一緒に勉強する仲間や、講師と交流を持つことができるので、モチベーション維持につながります。また、費用がかかっている場合が多いので「お金を払っているのだから」というモチベーションで挫折しにくいという側面もあります。

仕事の紹介がある

プログラミングスクールの卒業生には、スクールから転職のサポートや、案件受注のサポートが受けられることもあります。中には転職できなければ全額返金というスクールもあります。スキルを身に付けても、実際に仕事につながらなければ意味がありません。プログラミングの世界は、実績がすべてです。はじめは何も実績がありませんので、なかなか案件を獲得することができません。その点、スクールの場合は、仕事の紹介をしてくれるというメリットがあります。

また、スクールに通うと横のつながりを持つことができます。スクールで出会った仲間とチームを作って、一緒に仕事をしたりすることも可能です。

費用が高い

多くのプログラミングスクールは、受講料が高額で気軽には受講できません。副業のためにとなるとなおさらです。しかし最近では、オンライン講座など受講料が比較的安いスクールや、転職できなければ全額返金されるようなスクールもありますので、うまく活用すれば比較的安価に受けられる場合があります。

通学時間がもったいない

有名なプログラミングスクールは都心に多く、スクールまで通わなければいけません。特に社会人であれば貴重な時間を往復の通学時間で削られてしまうのはかなりの痛手です。

受講期限があり、学習ペースが決められている

プログラミングスクールの場合、受講期限がありその期限内に修了しなくてはいけませんので、学習ペースはカリキュラムに左右されます。レベルの高いコースを受講してしまえば、そのペースについていけないこともあり、自分のペースで学習することができません。また、課題が決められているので、自分が好きなものだけを学びたいということはできません。

自分で解決する力が身に付かない

プログラミングスクールでは、講師に気軽に質問できてしまう反面、自分で解決する力が身に付かない可能性があります。プログラミングに限らず、何かを学習するときにすぐに答えを見てしまうと全然覚えられませんが、自分で考え調べて導き出した回答は記憶に残ります。

副業につながるとは限らない

プログラミングスクールでは卒業後に転職サポートをしているところは多いですが、副業のための仕事の紹介をしているところはあまりありません。そのため、プログラミングを学んで副業で活かそうと思っている人にとっては、スクールに通ったからといって必ず副業ができるとは限りません。むしろスクールに過度な期待をして、せっかくスクールで学んだのに全然仕事にならない……と後悔する可能性もあります。

⊙おすすめのプログラミングスクール（通学・オンライン）

TECH CAMP（テックキャンプ）
`URL` https://tech-camp.in/

▲ 転職に強い。全額返金の制度があり受講中はプロのメンターのサポートをしっかりと受けられる。

DMM WEBCAMP
`URL` https://web-camp.io/

▲ 専門実践教育訓練給付金制度の対象講座となっており、条件を満たせば受講料の最大70%が支給。

⊙おすすめのプログラミングスクール（オンライン）

侍エンジニア塾
`URL` https://www.sejuku.net/

▲ オンライン講座でコスパがよい。月額3,278円からはじめられるマンツーマンレッスン。ひとりひとりに合わせたオーダーメイドのカリキュラム。

CodeCamp
`URL` https://codecamp.jp/

▲ オンラインで講師と向かい合い、1対1でプログラミングの授業を進めていく。

⊙プログラミング学習方法のメリットとデメリットまとめ

学習方法	メリット	デメリット
独学	コストがかからない 自分のペースで学習可能 好きなものを作ることができる 自分で調べる力が身に付く	一方的なインプットのみ 質問ができない 挫折しやすい 習得までに時間がかかる 仕事につながらない可能性
スクール	効率よく学べる 質問ができる 挫折しにくい 仕事の紹介がある	費用が高い 通学時間がもったいない 学習ペースが決められている 自分で解決する力が付かない 副業につながるとは限らない

Python
JS
CSS
HTML
Section
PHP
Ruby

14 独学とスクールどちらがおすすめ？

🔑 独学がおすすめな人
🔑 スクールがおすすめな人

結局のところ独学とスクールはどちらがおすすめなのか。独学が向いている人、スクールが向いている人がいますので、自分はどちらが向いているのがチェックしてみましょう。

🖊 独学がおすすめな人

結論をいってしまうと独学がおすすめな人は、好奇心旺盛で行動力・集中力と根気がある人です。もっと具体的にいえば独学のデメリットを克服できる人が、独学に向いています。

◉ 独学のデメリットを克服できる人

独学のデメリット	克服できる人の特徴
一方的なインプットのみ	「このコードを実行するとどうなるのだろう」と好奇心をもって積極的にアウトプットする行動ができる人
質問ができない	エラーが出たときに、質問掲示板で質問する行動力。粘り強く自分が納得するまで根気よく解決しようとすることができる人
モチベーションが保てず挫折しやすい	集中力があり、学習の状況や目標までのプロセスを自分でコントロールすることができる人
効率的に学べない	好奇心旺盛なので、遠回りした知識すらも自分のモノにしてしまう人
仕事につながらない可能性がある	行動力があり、自分で営業をかけられる人

プログラミング学習に限らず、私たちは「勉強をする」ということに対して「人から教わる」ということに慣れてしまっています。もちろん、ある程度の知識を身に付けた状態からあれば独学で学んだことはあると思いますが、0からの状態で、独学するという経験をしたことがない人がほとんどだと思います。プログラミング学習を独学で行うと多くの人が挫折してしまうのは、プログラミングの取っつきにくさもあるのですが、「独学する」という経験が圧倒的に少ないことも1つの大きな要因です。

スクールがおすすめな人は、以下の4つに当てはまる人です。

①エンジニア転職を目指している人
②難しい言語（サーバーサイド言語）を学びたい人
③独学のデメリットを克服できない人
④スクール費用が払える人

　まず、エンジニア転職を目指している人はスクールに通うべきですし、難しい言語に挑戦したい人もスクールのほうがベターといえるでしょう。また、当然ですがスクール費用が払えないと通うことは難しいです。
　以下は、これまでの内容をフローチャートにまとめたものです。あなたがどのタイプか確認してみましょう。

◉あなたはどっち派？　独学orスクール

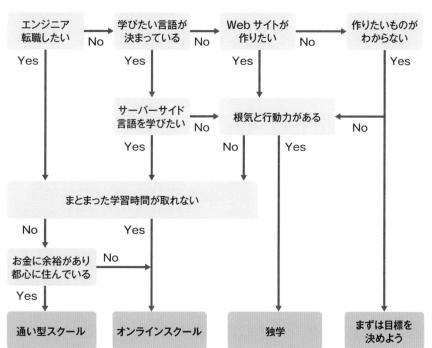

Section 15 挫折しないための プログラミング学習の心構え

🔑 目的や目標を明確に

🔑 仲間と一緒に学ぶ

プログラミング学習をはじめる前に抑えるべき心構えが3つあります。「目標を明確に」「暗記は不要」「仲間が大事」です。挫折しないためにはこの心構えを抑えておきましょう。

✒️ 挫折しないための心構え

プログラミング学習では、多くの人が挫折を経験します。実は著者もその1人です。

著者がはじめてプログラミングを勉強しようと、とある書籍を開くとこんなことが書いてあったのです。

「○○をするためには、このようなコードを書きます」
「こんなコードを打つと、"Hello"と表示できます」

はじめは、なるほどなるほどと読み進めていったのですが、途中であっけなく挫折しました。**なぜなら、これらのコードが実際にどのようなサービスで使われるのかまったくイメージできなかったからです。**つまり、これらのコードを使って自分が最終的に何を作りたいのか、はっきりとたゴールが見えていなかったために、どこに向かって勉強してよいのかがわからなくなってしまったのです。

一度、挫折を経験してから、ときが経ち、再度独学での勉強に挑戦してみました。今度はこれから紹介する挫折しないための心構えをしてから取り組んだところ、うまく習得まで至りました。

独学の場合、多くの人が挫折をしますが、たとえスクールに通ったとしても挫折する人はいます。それは、**学習に取り組み前に抑えるべき心構えができていないからです。**

著者も、挫折から数年後に再度プログラミング学習に挑戦し、最終的には副業ができる程度にまで習得することができました。

ここでは、プログラミング学習に挫折しないための心構えを3つ紹介します。

心構え①勉強する目的や目標を明確にしておく

　プログラミング学習をする際には、なぜプログラミング学習をするのか（目的）、最終的に作りたいものは何か（目標）を明確にしていくことがとても大切です。ただなんとなく学習をはじめてみて習得できるほど甘くありません。最終的なゴールを具体的に設定しておきましょう。

心構え②暗記は不要

　プログラミング学習では、暗記は不要です。プロのエンジニアであっても、すべてのコードをすらすら書ける人はほとんどいません。そして、IT技術はものすごいスピードで進化しているので、暗記をしたところでまったく役に立たなくなる可能性がありますし、膨大な量があるので暗記をすることは不可能です。

　プログラミングは暗記力より検索力のほうが大切です。迷ったらその都度調べながらコードを書いていければよいのです。しかし、最初はこの検索力がなく目的のコードを探し出せません。どのような単語で検索したらよいかもわからないと思います。その際に、プログラミング学習の中でしくみを理解しておき、「そういえばこんな考え方があったな」と思い出せればよいのです。

心構え③友達や仲間と一緒に学ぶこと

　プログラミング学習に限らず、勉強は自分との戦いです。サボろうと思えばいくらでもサボれてしまいます。

　そこで、同じ志を持つ友達や仲間と一緒に学ぶことで、お互いを刺激しあいながら学びを継続することができます。

　有名なプログラミングのオフ会に「もくもく会」があります。カフェやフリースペースを利用して、同じ志を持つ仲間と交流することができます。朝活や土日に開催されているものが多く、利用料金も無料～数百円程度なので気軽に利用することができます。P.42でも紹介したProgateのもくもく会は大人気で、Progateのオフィスで開催されることもあります。もくもく会に参加することモチベーションも保てますし、わからないことを質問することもできます（もくもく会によっては質問してはいけない場合もあるので事前に確認しましょう）。

Section 16 副業開始までのロードマップ

🔑 スキル習得

🔑 受注までのステップ

スクールや独学で基礎スキルを習得したからといって仕事ができるわけではありません。実際に副業を開始するまでの具体的な行動（ロードマップ）について解説します。

✒ 副業開始までのロードマップ

スキルや知識を身に付けただけで、いきなり副業が開始できるわけではありません。プログラミング副業をはじめとする**スキル型副業では、知識量よりも実績のほうが重要視**されます。どんなに高いスキルを身に付けていたとしても、実績がないと仕事につながらないわけです。そこで、副業開始前に実績を作っておく必要があります。実績といっても大層なものを作る必要はありません。まずはかんたんな作品を1から自分で作り、それを作品集としてWeb上に公開しておきましょう。この作品集のことを一般的にポートフォリオといいます。ポートフォリオを充実させたうえで副業を開始することで、仕事をスムーズに軌道に乗せることができるでしょう。

では、具体的にどのようにポートフォリオを作っていくのか、副業開始までのロードマップを紹介します。

⊙ 実際に受注を受けるまでのステップ

> Step1：学んだ知識をアウトプットし、とにかくトライ＆エラー
> Step2：自分で1から作品を作ってみる
> Step3：知り合いのサービスを無料で作ってみる
> Step4：ポートフォリオを作る
> Step5：クラウドソーシングサービスで受注してみる

■ Step1：学んだ知識をアウトプットし、とにかくトライ＆エラー

プログラミングはとにかく、**インプットとアウトプットを繰り返すことがとても重要**です。学んだ知識を使ってアウトプットをし、エラーをたくさん出しましょう。エラーを解消するた

びに知識レベルがアップしていきます。スクールの場合は、アウトプットするカリキュラムが入っていると思いますが、独学の場合は、インプットのみになりがちです。知識をアウトプットすることで、まずはしっかり理解を深めていきましょう。

■Step2：自分の作品を1から作ってみる

学んだスキルを活かして、自分で1から作品を作ってみましょう。何を作ってよいのかわからないという人は、模写がおすすめです。すでにあるサービスやWebサイトをそっくりそのまま同じものを作ってみましょう。模写といわれても最初は何から書いていけばよいかわからないという方は写経をしてみましょう。サンプルコードや実装例を自ら打ち込んで、実行をしていくだけです。ただし、コピー＆ペーストは厳禁です。自らの手でひとつひとつ書いていきましょう。しかし、何も考えずにひたすら書き写すだけでは時間の無駄になります。書き写しながら、意味をきちんと考え、わからない部分は都度調べて解決していきましょう。このステップが最初の難関になりますが、**大切なのは、最後まで作り切ることです**。とにかく、1つ作品を作り上げてみましょう。

■Step3：知り合いのサービスを無料で作ってみる

Step2を乗り越えたら、家族や知り合いのために、1つサービスを無料で請け負ってみましょう。知り合いに作ってほしいサービスをヒアリングして、ヒアリングした内容をもとに、サービスを作ってみる練習をするのです。無料で請け負うので、失敗してもリスクはありませんし、成功すればものすごく感謝されます。

■Step4: ポートフォリオを作る

いくつかサービスを作ってみたら、それをポートフォリオとして公開しましょう。単に作品を羅列して掲載するのではなく、サービスのコンセプトや機能の説明、使用したスキルなどの説明文も一緒に付けましょう。ポートフォリオは作品集ですがかんたんなプロフィールや問い合わせ先も載せておきましょう。

■Step5：クラウドソーシングサービスで副業を開始する

いくつか練習をしてみて、ある程度作品を作り上げる力が付いてきたら、クラウドソーシングサービスで受注をしてみましょう。クラウトソーシングサービスとは、仕事を発注したい人と仕事を受注した人をつなぐマッチングサービスです（クラウドソーシングサービスについては次章で詳しく解説）。はじめて副業をする方にとって、クラウドソーシングサービスは非常に便利なサービスです。

Column

著者がプログラミングスキルを
習得した方法

ここで、著者がプログラミングに出会ったきっかけ、スキルを習得するまでの学習法
についてお話しします。

● プログラミングに出会うまで

著者は経済学部出身です。大学時代は簿記や金融などを学んでおり、プログラミング
とは無縁の世界でした。その後、事務系の職場に就職。当然仕事上でもプログラミン
グにはまったく触れることなく過ごしていました。しかし、自身の出産を機に短時間勤
務に移行したことがきっかけで、短時間でも生産性を落とさずにアウトプットを出す必
要に迫られました。そこで出会ったのがExcel VBAです。事務作業が劇的に効率化
されたことに感動を覚え、これをきっかけにほかのプログラミングにも興味を持ちはじ
め、さまざまなプログラミングに触れていくようになりました。

● 実際に習得した方法

著者が実際にプログラミングを習得した方法は言語によって異なります。
Excel VBA：**独学**で基礎を学び、その後2日間の**通い型スクール**で体系的に学ぶ。
HTML ／ CSS：**独学**で基礎を学び、Web制作副業を通してスキルアップしていき習得。
PHP ／ JavaScript：**独学**で学習中。
Python：**オンラインスクール**で学ぶ。

● 独学・スクールを両方経験してみて思ったこと

独学・スクールを両方経験してみてわかったことは、独学の場合「基礎の基礎を知ら
ないまま進んで行ってしまう可能性があるということ」です。たとえるとするならば、【そ
こそこ英語が話せるのに、「I have a pen.」と書くときに、"I"を大文字で書くこと
を知らない】というような状態です。しかし、副業をするうえでは、コード知識が多く
あることよりも、Webサイトやサービスが作れることのほうが重要だと考えているの
で、独学でも問題ないと考えています。ただし、チームや企業に属して大きな仕事を
していくのであれば、上記の理由からきちんとスクールで学ぶべきだと思います。

第 3 章

クラウドソーシングサービスで
仕事をしてみよう

Section 17

HTML Python JS CSS Ruby PHP

クラウドソーシングサービスって何？

🔑 クラウドソーシングのジャンル

🔑 メリット・デメリット

クラウドソーシングサービスとは、仕事を依頼したい人と仕事を受注したい人をつなぐマッチングサービスです。おもにフリーランスや副業の仕事の場として利用されています。

第3章 クラウドソーシングサービスで仕事をしてみよう

✒ クラウドソーシングサービスとは

クラウドソーシングとは「crowd（群衆）」と「sourcing（委託）」をかけ合わせた造語で、不特定多数の人材に仕事を発注したり募集したりするビジネス形態のことをいいます。

クラウドソーシングサービスとは、不特定多数（群衆）の持つスキルやセンスを活かせる場を提供するサービスのことで、おもにオンライン上で取引が行われます。

現在、国内には約200以上のクラウドソーシングサービスが存在するといわれています。副業・兼業との相性もよいので、昨今の働き方改革・副業解禁の追い風を受け、クラウドソーシングサービスの市場規模は今後ますます拡大していくと予想されます。

クラウドソーシングサービスでおもに取引されているジャンルには、以下のようなものがあります。

●**デザイン制作系**：ロゴ作成、チラシ作成、ポスター作成、名刺作成
●**Webサイト制作**：ホームページ作成、バナー・ヘッダー作成、ECサイト構築
●**プログラミング系**：Webシステム開発、アプリ開発、Excelマクロ作成
●**ビジネスサポート**：データ入力、文字起こし、秘書、データ集計、資料作成
●**動画作成**：動画制作、アニメーション制作、動画編集、サムネイル制作
●**ライティング**：文章作成、ブログ記事作成、シナリオ・キャッチコピー作成
●**翻訳・語学**

クラウドソーシングサービスを利用することで、受注者・依頼者ともにメリット・デメリットがあります。

	メリット	デメリット
受注者	・仕事を選ぶことができる ・好きな時間に働ける ・好きな場所で働ける	・依頼者がどんな人かわからない ・手数料を取られる ・低単価な案件が多い
依頼者	・アウトソーシングで作業分担可能 ・人材確保がかんたんにできる ・低コストで発注可能	・セキュリティ面のリスクがある ・受注者の見極めが難しい

◉ 受注者のメリットとデメリット

クラウドソーシングには多くの仕事内容が募集されており、仕事内容・報酬の条件を見て好きな仕事を選ぶことができます。働く時間も基本的には自由で、スキマ時間を活用して仕事ができるメリットがあります。また、オンライン上で取引が完結するので場所に制限がなく、直接クライアントと会うこともないので、交通費も不要です。

一方で、デメリットとしてはクライアントがどんな人なのかがわからないという点が挙げられます。中には、当初の内容とは違う作業が追加になったにもかかわらず追加料金を支払わない人や、プロジェクトの進行中に音信不通になってしまう人もいるので、本当に信頼できる依頼者なのか見抜く必要があります。またクラウドソーシングサービスの場合、サイト側に手数料を取られてしまうため、手取りが少なくなります。加えて、そもそも登録されている案件自体が市場価格に比べて低単価である場合が多いです。

◉ 依頼者側のメリットとデメリット

依頼者側としては、一部の業務をアウトソーシングによって作業分担を図ることができます。たとえば単純作業をアウトソーシングし、よりクリエイティブな事業などに充てる時間を増やすことができます。また、採用コストをかけずに人材確保をすることができるというメリットもあります。そして、クラウドソーシングサービスの単価は市場価格に比べ安価で取引されている場合が多く、低コストで発注することが可能です。

一方でデメリットとしては、業務を外部に出すことでセキュリティ面の心配があります。場合によっては自社の機密情報を教えなくてはいけないこともあります。そして、受注者がどんな人なのかわからないのでその見極めが難しいこともデメリットの1つです。

Python
HTML Section JS CSS
Ruby PHP

18
クラウドソーシング
サービスの種類

🔑 提案型の取引方式

🔑 受注型の取引方式

クラウトソーシングサービスは、おもに提案型と受注型の2種類があり、提案型の取引方式にはタスク・コンペ・プロジェクト・時給の4つの方式があります。

クラウドソーシングサービスの種類

クラウトソーシングサービスには、おもに2種類のタイプがあります。

提案型	受注型
依頼者側が仕事の案件を投稿し、受注者を募集。仕事をしたい人が提案を出すタイプ	受注者側が自分のスキルや条件を公開し、発注者を募集するタイプ

◉ 提案型のやり取りイメージ

来月までにホームページを作ってほしいんだけど、予算は10万くらいです！どなたかいませんか？

はい！提案です！私ならこんなものがいくらで作れて、納期は来月にできます！

10人くらい応募してくれたけど、いちばんよさそうなAさんにお願いしよう！

◉ 受注型のやり取りイメージ

私は、こんなスキルを持っています！たとえば10万くらいでこんなサイトを作れますよ！

いちばんうちの要望をかなえてくれそうな人を見つけたぞ！こんな依頼をしたいのですがお願いできますか？

よろしくお願いします！

提案型は、自ら能動的に仕事を獲得しにいくことができます。仕事の案件一覧があり、受注したい仕事に対して応募（提案）するスタイルです。応募者の中からもっともよい条件だった人をクライアントが選ぶ形で取引が開始されます。提案型は自ら受注できそうな案件にいくつでも応募することができるため、能動的といえます。

受注型は、受動的に仕事を受ける形になります。別名スキルシェアサービスともいわれていますが、メルカリのスキル版というとイメージしやすいと思います。自分のスキルを出品しておき、購入者がいれば取引が成立するという流れになります。こちらは、スキルを出品したらあとは購入されるのを待つことしかできませんので受動的といえます。

提案型の4つの取引方式

提案型の場合、取引方式は4つのパターンがあります。

◻ タスク方式

データ入力やアンケートといった比較的かんたんな事務仕事などに使われることが多く、1つのタスクに対して複数の納品をお願いしたい場合に活用されます。受注者はあらかじめ用意された「タスク」を完了すれば終了という取引方式です。

◉仕事内容例

アンケート回答	PC 入力・データ収集作業	口コミ、サービスの感想

◻ コンペ方式

ロゴ作成などデザイン系の仕事に活用されることが多く、その名の通りコンペティション：Competitionが実施されます。たとえば、ロゴ作成の場合だと案件依頼に対して、受注者がロゴ制作をし、実際に成果物を提案します。ほかの人が提案しているロゴ画像も公開されることが多いので、当選しなかった提案の盗用防止にもなりますし、提案が公開されることで「ほかの人と違う種類の提案をしよう」という心理が働き、似たアイデアに偏ってしまうことを防ぐ効果もあります。

◉仕事内容例

ロゴ作成	パッケージデザイン	チラシ作成

◻ プロジェクト方式

発注者が掲載した案件に対し、受注者が見積もりを提案する取引方式で中長期的なプロジェクトで活用されます。依頼者側の見積や計画などの条件に合った受注者と取引をする

方法で、Web制作はプロジェクト方式が多いです。

⊙仕事内容例

| Web サイト作成 | Web ライター記事作成 | 動画作成 |

◘ 時給方式

　言葉通り作業時間に対して時給が発生するような取引方式です。リモートで仕事を行い、時間報酬をいただくようなパターンもあれば、相手先に常駐して月額報酬をいただくようなパターンもあります。高度なシステム構築や継続的に業務契約するような場合に活用されます。

⊙仕事内容例

| 開発エンジニア | Web サイト保守運用 | オンライン秘書 |

初心者が選ぶべきクラウドソーシングサービス

　まず、副業初心者が最初に選ぶべきクラウドソーシングサービスは、**「受注型」のサイト**です。なぜなら、自分のスキルや条件を最初に提示しているので、自分のスキルでできる範囲内の依頼だけを受けることができるからです。初心者のうちは、自分のスキルにあまり自信がないはずです。できること・できないことをあらかじめ明示しておくことで、そもそも依頼者が依頼をしてくるときに、対応可能範囲を認識したうえで依頼をしてきてくれます。そのため、スキル以上の要求をされることがありません。

　一方、提案型の場合、受注したい仕事に対して応募（提案）するスタイルです。同じ案件に複数のライバルが応募をし、よりよい提案をした人がクライアントに選ばれる形になります。そのため、クライアントに選んでもらうために、自分のスキルを過大に提案してしまいがちです。そうすると、のちのち取引がはじまったあとに、トラブルになりかねません。

　初心者のうちは、受注型サイトでスキルを磨き、そのあとに提案型サイトへ挑戦することをおすすめします。提案型サイトへ移行したら、まずはタスク方式の案件を受注してみて、クラウドソーシングサービスの使い方に慣れてみましょう。そのあと、プロジェクト方式→コンペ方式→時給方式と挑戦していくのがよいでしょう。

クラウドソーシングサービス取引の安全性

　クラウドソーシングサービスでは、いずれの取引方式においても受注者と依頼者の間にクラウドソーシングサービスの運営会社が入ります。これにより双方にとって安心・安全な取引が可能になっています。

安全な報酬の支払いのしくみ

　フリーランスが個人で仕事を受注する場合、**発注→作業→納品→支払い**という流れが一般的です。成果物を納品してからの支払いになるため、納品したのにお金が支払われない！という持ち逃げのリスクがあります。しかし、クラウドソーシングサービスの場合は、**発注→クラウドソーシングサービスへ支払い→作業→納品→クラウドソーシングサービスから受注者へ支払い**という流れになり、作業着手前に、いったん運営会社がお金を預かってくれます。これにより、支払いトラブルのリスクが低減されます。

評価制度のしくみ

　ほとんどのクラウドソーシングサービスで、評価制度が導入されています。これにより、過去にどんな仕事を受けていて、どんな評価を受けてきたのかを事前に知ることができるため、依頼者・受注者ともに信頼できる人かどうか見極める1つの指標になっています。たとえば評価ポイントには以下のようなものがあります。

- ✓ **納期：決められた納期通りに納品できたか**
- ✓ **クオリティ：成果物の品質がよいか**
- ✓ **コミュニケーション：取引の中で丁寧・迅速なやり取りができたか**

トラブル時にも安心できるしくみ

　クラウドソーシングサービスが間に入っていることで、トラブル時にも仲介に入ってくれます。取引はすべてクラウドソーシングサービスサイト内のメッセージ機能（取引専用ルーム）で行いますので、詳細なやり取りもすべて運営側で見ることができます。たとえば変ないいがかりを付けられたり、脅されたりといった場合に運営側へ通報すれば適切に対処してくれますので安心です。

おもなクラウドソーシングサービス紹介

国内の有名なクラウドソーシングサービスを3つ紹介します。それぞれジャンルの特徴や案件数、手数料の違いについてもまとめていきます。

🔑 おもなサービス

🔑 システム手数料

✎ おもなクラウドソーシングサービスとその特徴

ここでは、国内で利用できるおもなクラウドソーシングサービスについて3つ紹介します。

🔲 ランサーズ（https://www.lancers.jp/）

日本で最初にできたクラウドソーシングサービスで歴史もあり、案件数も多いことが特徴です。2021年7月現在、約6,000件の仕事が登録されています。ランサーズは主として提案型（依頼者側が案件を投稿し受注者を募集するタイプ）のサイトです。のちにスキルパッケージというスキルの出品機能が追加され、クリエイターが1 〜 7日内に納品できるものを商品とし、依頼者側がスキルを購入することもできるようになりました。

🔲 ココナラ（https://coconala.com/）

「みんなの得意を売り買いするスキルマーケット」というのがキャッチフレーズで、ほかのクラウドソーシングサービスに比べてカテゴリ数が多く、ビジネス系カテゴリにとどまらずバラエティに富んでいることが大きな特徴です。

登録数も非常に多く、約35万件のスキルが登録されています。ココナラはほかのクラウドソーシングサービスとは違い、実際にクライアントと会って取引を行うココナラミーツというサービスがあったり、スキルや知識を常時有料公開しておくことで、購入者が好きなときに記事を購入できたりするようなブログ機能も付いています。

ココナラは、主として受注型（受注者側がスキルを公開し、依頼者を募集するタイプ）のサイトですが、公開依頼という機能がのちに追加され、依頼者が仕事を募集できるようにもなりました。

クラウドワークス（https://crowdworks.jp/）

　クラウドワークスは、国内最大級のクラウドソーシングサービスです。クラウドワークスでの登録案件数（募集中）は約9,000件です。クラウドワークスでは、デザイン制作やライティングなど比較的かんたんな案件が多く登録されており、ランサーズに比べるとシステム開発案件など大がかりな案件は少なめです。

システム手数料の比較

　クラウドソーシングサービスを利用すると、受注金額（税込）に応じてシステム手数料がかかります。3サイトのシステム手数料の違いについて、以下の比較表にまとめました。

◉システム手数料比較

受注金額	ランサーズ・クラウドワークス	ココナラ
1円〜10万円以下	20%	20% （購入者も5％負担）
10万円超〜20万円以下	10%	
20万円超〜50万円以下	5%	

※クラウドワークスでタスク形式の場合は一律で20%　　　　　※2021年6月11日現在　　※税抜表記

　ランサーズやクラウドワークスは金額に応じて手数料が異なりますが、ココナラの場合は一律です。ただし、ココナラの場合は購入者側も手数料を5％払っているので、1つのサービスに対して25%の手数料が取られていることを考えると少し高めの設定です。

　また、手数料の引かれ方にも違いがあります。ココナラとクラウドワークスは、受注金額から差し引かれて受注者へ手取りが支払われるのに対して、ランサーズは、希望受注金額を提示すると、発注者側へ手数料が上乗せされて表示されるようなしくみになっています。

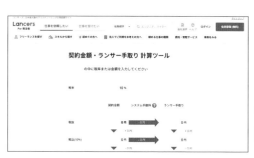

契約金額・ランサー手取り計算ツール
（ランサーズ）
URL https://www.lancers.jp/tool/reward_
calculation

Section 20

クラウドソーシングサービスの登録方法

🔑 登録に必要なもの

🔑 プロフィールのコツ

実際にクラウドソーシングサイトに登録してみましょう。ユーザー登録に必要なものやプロフィール・サービス概要の書き方について解説します。

✒️ ユーザー登録に必要なもの

クラウドソーシングサービスでお仕事を開始するためには、以下のものを準備しておきましょう。

📋 メールアドレス

📋 本人確認書類

ユーザー登録が完了したら、本人確認書類（氏名、生年月日、住所、有効期限が確認できるもの）が必要です。

例：運転免許証、健康保険証、パスポート、住民票、住民基本台帳、在留カード（特別永住者証明書）、国民年金手帳、共済組合員証、障がい者手帳など

運転免許証

健康保険証

パスポート

📋 振込口座情報

✒️ プロフィールを書く

ユーザー登録が完了したら、プロフィールを作成します。プロフィールはお仕事をするうえで非常に重要になります。クラウドソーシングサービスはオンライン上での取引になりますので、プロフィールを見て信頼できる人だなと思ってもらえるかどうかで受注率はかなり変わります。次ページにてプロフィールの書き方のポイントを解説します。

プロフィールの書き方のポイント

顔写真を載せて信頼度を上げる

プロフィール写真は、実物の顔写真がベターです。オンライン上の取引となりますので、依頼者も相手の顔が見えていたほうが安心です。また、女性らしいデザインを頼みたいなというような場合に、顔写真が女性ですとそれが依頼の決定打になることもあります。もちろん必ずしも写真を載せなければいけないというわけではありませんので、載せたくないという場合は斜めから撮って顔がはっきりわからないように工夫したり、似顔絵のイラストを使用したりするとよいでしょう。

自己紹介は人物像をイメージしやすく

自己紹介の書き方のコツは、あなたの人となりや人間性がわかるように書くことです。何度もいいますが、クラウドソーシングサービスはオンライン上のみの取引です。依頼者に信頼感を与え、仕事をお願いしてみよう！　と思ってもらえるようにしなければいけません。一見業務には関係ないような趣味などを書いて親近感を持ってもらうというのも1つの手です。

スキルや対応可能スケジュールを簡潔に書こう

自分のスキルや資格をアピールしましょう。スキルというと大層なものを考えてしまうかもしれませんが、「得意分野」を書けばOKです。また、関連資格を持っている場合は記載しておきましょう。さらに、対応可能スケジュールや時間帯も書いておくとよいでしょう。

実績やポートフォリオを載せよう

クラウドソーシングサービスでは実績がすべてといっても過言ではありません。しかし、はじめてクラウドソーシングサービスに登録するほとんどの方は実績がないと思います。その際に、前章Sec.16「副業開始までのロードマップ」で紹介したように、自分の作品を作ってみたり、知り合いのサービスを作ってみたりした実績が重要になってくるのです。そのクラウドソーシングサービスでの実績はなくても、今までにこんなものを作っています！　という実績があればよいのです。これらの実績をポートフォリオ（作品集）として、画像などで見せるようにしましょう。

とはいっても、実績が1つもない！　という人はなぜクラウドソーシングサービスに登録したのか、どんな人の役に立ちたいと思っているか、これからどんなサービスをしていきたいと思っているかの展望を書きましょう。

本人確認や電話認証・機密保持契約など、クラウドソーシングサービスによってさまざまな認証がありますので、すべて認証しておきましょう。

◎ プロフィールの書き方例

〇〇と申します。フリーランスとして
Web制作をしています。
女性ならではの目線でわかりやすい
サイト作りを目指しています。
よろしくお願いします。

□ 本人確認済
□ 機密保持済

【経歴】
〇〇卒業後、〇年より活動開始
得意分野は〇〇です。

【スキル・資格】
・XXXX
・XXXX

【これまでの実績例】
・XXXX
・XXXX

【活動時間】
平日・土日問わず対応しています。

【趣味】
犬と遊ぶこと・旅行

✎ サービス概要を書く

プロフィールを充実させたら、最後にサービス概要を書きましょう。サービス概要とは、かんたんにいうと「あなたにお仕事を依頼したら、どのくらいの金額でどういった仕事をしてくれるのか」ということです。

受注型サイトの場合は、あらかじめサービス概要を書いておきますが、提案型サイトの場合は、提案時にサービス概要を都度書きます。

サービス概要を書くときのコツは、他サービスとの差別化を図ることです。あなたにお

仕事を依頼したらどんなメリットがあるのか、ほかのサービスとは何が違うのかを明確に書きましょう。

そのためには、他サービスの研究も必要です。受注型サイトの場合は、ほかの人がどんなサービスを提供しているのか見ることができます。他サービスの研究をして、自サービスの差別化を図りましょう。

◉ **サービス概要例**

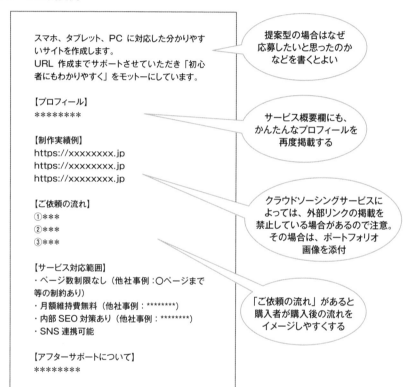

スマホ、タブレット、PC に対応した分かりやすいサイトを作成します。
URL 作成までサポートさせていただき「初心者にもわかりやすく」をモットーにしています。

提案型の場合はなぜ応募したいと思ったのかなどを書くとよい

【プロフィール】
****

サービス概要欄にも、かんたんなプロフィールを再度掲載する

【制作実績例】
https://xxxxxxxx.jp
https://xxxxxxxx.jp
https://xxxxxxxx.jp

【ご依頼の流れ】
①***
②***
③***

クラウドソーシングサービスによっては、外部リンクの掲載を禁止している場合があるので注意。その場合は、ポートフォリオ画像を添付

【サービス対応範囲】
・ページ数制限なし（他社事例：〇ページまで等の制約あり）
・月額維持費無料（他社事例：********）
・内部 SEO 対策あり（他社事例：********）
・SNS 連携可能

「ご依頼の流れ」があると購入者が購入後の流れをイメージしやすくする

【アフターサポートについて】
****

Memo ▷ **機密保持契約とは**

取引を行ううえで企業秘密などの非公開情報を開示する場合に、その情報を利用したり、外部に漏らさせたりしない目的で交わす契約のことです。機密保持契約は任意ですが、契約がないからといって情報漏洩があった場合の責任などに変わりはありません。機密保持契約を行うと信頼性が向上し、より提案が選ばれやすくなりますので、結んでおきましょう。

Section 21 案件受注から報酬獲得までの流れ -提案型の場合-

🔑 提案型の流れ

🔑 提案型のコツ

「提案型」の取引における、提案型の案件受注から報酬獲得までの流れや、それぞれの工程におけるポイントについてを解説します。また、タスク方式と時給方式の案件の流れも解説します。

第3章 クラウドソーシングサービスで仕事をしてみよう

✍ 多く採用されているプロジェクト方式・コンペ方式

提案型（プロジェクト方式・コンペ方式）の場合の取引の大まかな流れは、以下の通りです。

仕事を探す	・キーワードなどで検索する ・カテゴリや依頼金額で絞り込む
依頼内容を確認	・提出期限・金額・条件詳細を確認し対応できるか判断する ・依頼内容に不明点があれば質問しておく
提案を作成	・依頼内容に沿った形で提案を作る ・具体的な予算・納品物・スケジュールなどを明確に表示する ・コンペ方式の場合は、ここで完成品（納品物）を提案する
当選を待つ	・提案に対する質問が来た場合は迅速に回答する ・当選が決定すると、クライアントからクラウドソーシングサービスへ入金される
お仕事開始	・計画に沿ってお仕事を実行する（コンペ方式の場合は提案時点から修正があれば実施する） ・適宜進捗状況をクライアントに報告しながら進める
納品完了	・納品が完了したらクライアントに確認してもらい、クラウドソーシングサービス上の取引を終了する ・クライアントからの評価をもらう&評価をする
報酬受け取り	・クラウドソーシングサービスから報酬が支払われる ・報酬を自分の銀行口座へ入金手続きをする

提案型案件獲得のコツ

ライバル数をチェックしよう

　まず、はじめにキーワード検索やカテゴリなどで絞り込み、自分ができそうな案件を探していきます。その際に、その案件に何件の提案が届いているのか、**ライバル数もチェック**しましょう。応募者が多いということは、それだけ条件がよく人気の案件ということになります。しかし、あまりライバルが多すぎてもライバルよりもよい提案をしなければ、クライアントに選んでもらうことができません。提案数は10件～20件前後のものであれば提案次第で、初心者であっても当選する可能性があります。

応募締め切り時間を確認しよう

　提案は早いほうが有利です。依頼者は提案があると順次内容を確認することができるため、ある程度応募数があると、「この人にしようかな」と目星を付けています。そのため、提案が遅いとよほどよい提案をしないと、クライアントの気持ちを動かすことは難しいからです。募集開始日や応募締め切り日を確認し、早い提案ができる案件を狙いましょう。

提案文にテンプレはNG！案件ごとに味を変えよう

　前項（P.69）にて、サービス概要例の書き方を解説しましたが、すべてのクライアントに同じ定型文を送るのはNGです。必ず案件ごとに内容を合わせて味を付けましょう。たとえば、「現サイトを拝見いたしましたが、○○といった部分に改善の余地がありそうです。当方にリニューアルをお任せいただければ、○○といったご提案が可能です」「御社の○○という方針に非常に共感し、応募させていただきました」といった具合です。

依頼者から質問が来たらチャンス！絶対に逃すな

　応募締め切りのあと、依頼者が提案内容を確認し誰に依頼するか決めます。依頼者が最終決定に悩んでいる段階で、依頼者から質問が来る場合があります。質問が来たときはチャンスです。迅速に回答しましょう。レスポンスが早いというのは大きなポイントの1つです。返信が早いだけで「安心してお任せできそうだな」と依頼者に安心感を与え、それが決定打となることもあります。

　プログラミング副業を行う場合は、プロジェクト方式がほとんどですが、参考までにタスク方式・時給方式での取引の流れについても紹介しておきます。

　タスク方式の場合は、プロジェクト方式と違って「提案の作成」「当選」という過程はありませんので、作業をした分だけ報酬につながります。

仕事を探す	・キーワードなどで検索する ・カテゴリや依頼金額で絞り込む
依頼内容を確認	・提出期限・金額・条件詳細を確認し対応できるか判断する ・依頼内容に不明点があれば質問する
作業を開始する	・依頼内容に従って作業を実施する
納品する	・作業内容をクライアントが確認・承認してから納品完了となり取引終了となる ・クライアントからの評価をもらう&評価をする
報酬受け取り	・クラウドソーシングサービスから報酬が支払われる ・報酬を自分の銀行口座へ入金手続きをする

　まず、お仕事は、同じようにキーワード検索やカテゴリなどで絞り込んで、応募できそうな案件を探していきましょう。タスク方式の場合、依頼の詳細は、実際に作業を開始してみないとわかりませんが、作業を開始してみて難しそうだなと思えば、キャンセルすることもできますので、いろいろな案件にチャレンジしてみるとよいでしょう。

　実際に作業を実施して納品すると依頼者がチェックをします。タスク方式では、クライアントが作業内容を承諾してはじめて報酬となります。依頼内容に沿っていない場合やミスがあった場合は「拒否」されますので、せっかくの作業が無駄になってしまいます。また、拒否が続くと「タスク承認率が低い」という評価が付いてしまい、タスク方式の仕事に応募できなくなってしまいますので、仕事として責任感を持って作業を行いましょう。

時給方式は、業務時間に応じて報酬が得られるしくみで、長期に渡るシステム開発などで用いられることが多いです。数カ月に渡るプロジェクトの場合、プロジェクト方式では納品が完了するまで報酬がもらえないため、支払いサイクルに悩むことがあります。時給方式では業務をした時間は必ず報酬1時間から受注できるため、収入を安定させることができます。

時給提示	・希望の時給を提示する ・クライアントと相談・交渉する 　（日々の業務の進め方や約束事を決めておく）
契約締結	・クライアントから契約申請が行われる ・依頼内容、時給報酬を確認して契約を締結する
仕事の進行	・日々の作業開始前後に打刻を申請する ・申請した打刻が承認された場合、報酬が確定する
契約終了	・業務が終了したら契約を終了する
報酬の受け取り	・クラウドソーシングサービスから報酬が支払われる ・報酬を自分の銀行口座へ入金手続きをする

第3章 クラウドソーシングサービスで仕事をしてみよう

　時給方式の取引の1つに、ココナラでは電話相談というサービス形態もあります。1分〇円と時給を指定し、実際に通話した時間数に応じて報酬が確定するしくみです。クラウドソーシングサービスではあまりなじみがないかもしれませんが、「電話で話を聞いてもらいたい！」「パソコンの操作がわからなくて電話で聞きたい！」といったサービスなどで利用されています。

Section 22
案件受注から報酬獲得までの流れ -受注型の場合-

🔑 受注型の流れ

🔑 受注型のコツ

受注型サイトの案件受注から報酬獲得までの流れを具体的に紹介します。それぞれの工程におけるポイントについても解説します。

✎ スキルを出品して購入してもらう受注型

受注型の場合の取引の大まかな流れは以下の通りです。

スキルを出品する	・クライアントから見積依頼や相談のメッセージが来る ・依頼内容詳細を確認する
見積依頼が来る	・クライアントから見積依頼や相談のメッセージが来る ・依頼内容詳細を確認する
購入	・クライアントからスキルが購入される ・クラウドソーシングサービスへ入金される
取引開始	・依頼内容を確認し、お仕事を開始する ・納品時期や必要な追加情報などを確認する
納品する	・納品が完了したら、取引を終了する ・クライアントからの評価をもらう&評価をする
報酬受け取り	・クラウドソーシングサービスから報酬が支払われる ・報酬を自分の銀行口座へ入金手続きをする

受注型案件獲得のコツ

■ 最初は最低単価で実績を稼ごう

これは、提案型でも受注型でもいえることなのですが、**初心者が案件獲得するためには、はじめは価格で差別化をするしか方法はありません**。はじめての受注は最低単価で実績を稼ぎましょう。クラウドソーシングサービスによっては、カテゴリごとによって最低単価が決まっています。

■ クラウドソーシングサービス登録日をアピールしよう

評価数が少ないうちは、プロフィールやサービス概要にサイト登録日を記入しておくとよいです。登録日から日が浅いことがわかれば、クライアントからも「実績が少ないのは、登録して間もないからなんだな」と思ってもらうことができるからです。しかし、登録日でのアピールはある程度期間が過ぎてしまうと逆効果になりますので、数カ月程度経過したら登録日は削除しておきましょう。

■ アイキャッチ画像に力を入れよう

受注型サイトの場合は、サービス概要に「アイキャッチ画像」を設定します。アイキャッチ画像とは、サービスの内容がどのようなサービスなのかを端的に視覚的に示す画像のことです（イメージはYouTubeのサムネイル画像）。アイキャッチが魅力的な画像でないとクリックしてもらえません。アイキャッチ画像は念入りに準備しましょう。

■ 即購入のリスクを軽減しよう

受注型サイトの場合、サービス概要を見てクライアントが即購入することができてしまいます。特にプログラミング副業の場合は、クライアントが想定している納品物と、受注者が実際に作れるものに乖離があることがあります。購入後にいざ取引をはじめてみたら全然思ったサービスではなかった！　キャンセルしたい、などのトラブルになることもあります。サービス内容の詳細や取引条件をしっかり記載したうえで、まずは見積依頼などの事前相談をしてもらうように促すとよいでしょう。

 Memo ▶ **評価コメントは丁寧に！悪い評価もプラスに変えて！**

取引後の評価コメントはすべて公開されますので、購入検討している人にとっては決め手となる大きな判断材料となります。もし悪い評価をもらってしまった場合にも真摯に受け止め、丁寧に返信をしておきましょう。返信内容によっては好印象を与えることもできます。

第3章 クラウドソーシングサービスで仕事をしてみよう

クラウドソーシングサービスで受注する際の注意点

 直接取引は禁止

 怪しい勧誘に注意

クラウドソーシングサービスでは、直接取引は禁止です。また、初心者を狙った怪しい仕事の勧誘にも注意が必要です。ここでは具体的なトラブル事例と回避方法についても紹介します。

直接取引の禁止

　クラウドソーシングサービスでは、直接取引を禁止しています。直接取引とは、クラウドソーシングサービスを通さずに取引を行うことです。具体的には直接会うことを持ちかけたり、相手の外部連絡先を聞き出したり、他サイトへ誘導させたり、クラウドソーシングサービス以外での決済を行ったりするような行為のことです。

　直接取引が禁止されている理由はクラウドソーシングサービスの利益（手数料）を守るためということもありますが、依頼者と受注者を守るためでもあります。直接取引をしてしまうと、報酬の持ち逃げや支払い未納のリスクがあり、トラブル時に運営会社に守ってもらうことができません。

　サイトによっては直接取引を促すようなメッセージを送ると自動検知され、アカウント停止処分を受ける場合もありますので注意が必要です。

※Webサイトを作成する場合などには、サイト上に会社連絡先を載せたいというような場合もあります。そのようなときには別途審査を通す形で、メールアドレスを送ることができるようなしくみになっています。

※クラウドソーシングサービスによっては支払い後であれば連絡先を教えてもよいとしている場合もありますが、直接取引はリスクがありますので、極力控えたほうがよいでしょう。

怪しい仕事の勧誘には要注意

クラウドソーシングサービスの案件の中には、稀に怪しい仕事がまざっていることがあります。また、直接メッセージにて怪しい仕事の依頼が来ることもありますので注意が必要です。明らかに怪しい案件やメッセージに関しては、運営側で自動削除をしてくれますが、中には運営の目をすりぬけ、巧妙にメッセージが送られてくることもあります。特に登録したてで実績がない初心者のうちは、仕事依頼のメッセージが来た！　と嬉しくなってしまいがちですが、このような初心者を狙った怪しい仕事には要注意です。もし、怪しい案件を見つけた場合は、運営事務局に通報しておきましょう。

◉注意すべき案件事例

- ・コピペするだけ！などのかんたんな作業にもかかわらず高単価を謳う案件
- ・期間限定で人数限定（残り〇名！お急ぎください！など）の記載がある
- ・オークションサイトなどへの出品・販売・発送代行業務
- ・アフィリエイトの仕事依頼
- ・SNSの不正フォローや商品の不正レビュー
- ・直接の連絡先や個人情報を聞き出してくるようなクライアント
- ・初期投資に登録料を取ろうとするような案件

◉要注意案件を見分けるポイント
◩ クライアントの本人確認

クライアントのプロフィールページを確認し、本人確認済かどうかを確認してみましょう。極力本人確認の済んでいないクライアントは避けるべきです。また、同じような案件を大量募集していたりしないかどうかも確認しましょう。

◩ 評価の確認

受注前にクライアントの評価情報を確認しましょう。あまりに評価が低かったり、評価が1件もなかったりするクライアントには注意をしましょう。あわせて評価コメントもいっしょにチェックすることをおすすめします。

◩ 発注内容の詳細確認

発注内容があいまいで具体的な作業内容がわからない場合は、事前に詳細を確認しましょう。

第3章 クラウドソーシングサービスで仕事をしてみよう

　ここではクラウドソーシングサービスでの具体的なトラブル事例とその回避方法について解説しますが、クラウドソーシングサービスでトラブルが多いということではありません。著者はクラウドソーシングサービスを利用した取引をこれまでに100件以上行っていますが、トラブルはほとんどありません。トラブルを未然に防ぐための工夫をしているからです。トラブル事例とその回避方法を事前に学ぶことで、適切にクラウドソーシングサービスを利用し、トラブルに巻き込まれないための対策の参考にしてもらえればと思います。

● 事例1：納品後に追加要件!? 割に合わない仕事になってしまった……

　Webサイト作成のお仕事を実施しました。はじめに納品物についてイメージのすり合わせを行い、仕様や要件を確認し、依頼通りに作成を進めました。途中経過も報告し内容を確認してもらったうえで、やり取りを重ね微修正も加えながら納品を完了させました。ところが、納品後に最初の要件とまったく違う要件を追加で依頼され、最初に少しあいまいだった要件部分を拡大解釈するような形で、あれもこれもと要求してきました。その結果、1からすべて作り直すこととなってしまい、作業量の割に安すぎる報酬となってしまいました。

　追加要件に対しては料金を請求しましたが、「最初の見積額と違う!」といわれ、支払ってもらえませんでした。

回避方法：最初の要件だけでなく、追加要件の場合の料金も具体的に明示し合意する

　作業に着手する前に、お仕事の条件・仕様・要件などについても明確に合意をしておきましょう。取引開始前（仮払い前）に細かく確認すると「面倒くさい人だな」と思われてしまい、依頼してもらえなくなる可能性もありますので、取引開始直後、作業着手前に確認するのがよいでしょう。その際に、追加要件の場合の条件や料金も具体的に明示しておくとよいです。

● 事例2：契約前に納品を迫られ、対応したら音信不通になり報酬が未納に……

　Webライターのお仕事を実施しました。契約をする前に、どのような納品物をいただけるのかお仕事ぶりを確認してから本契約に進みたいといわれ、納品してしまいました。ところが、記事を納品後に突然音信不通になってしまい、後日依頼者のサイトを見ると私が納品した記事がアップされていました。報酬をお支払いしていただくようにお願いしたところ、「納品物が当社の基準を満たしていないため報酬はお支払いできない」といわれてしまいました。納品した成果物が持ち逃げされた形になってしまいました。

回避方法：仮払い前に仕事をしない。テスト納品もサンプル表示などで納品物持ち逃げ対策を

原則として、**依頼者がクラウドソーシングサービスへ仮払いが済んでいない状態で成果物を納品しないようにしましょう。**仮払いが済んでいたとしても必ず安心とはいい切れません。納品後にいろいろと難癖を付けられてしまい、報酬を支払ってもらえないケースもあります。最終的に納品する直前に、成果物がそのまま使用できないように「サンプル」と透かし文字を入れたり、PDFにしてコピペができないようにしたり、部分的にモザイクをかけるなどの処理をしたものを仮納品し、確認をしてもらってから、正式に成果物をお渡しするなどして、納品物の持ち逃げ対策をしましょう。

◉事例3：（受注型サイト）サービス概要をよく読まずに突然購入されトラブルに

受注型サイトでサービスを出品しています。サービス概要に細かく内容を記載していたつもりなのですが、サービス内容をよく読まずに購入されてしまい、依頼内容が一方的に送られてきました。「申し訳ありません。ご要望のようなものは作成できません」とお伝えしたところ、「依頼のために機密情報をお伝えしたのに、情報だけ取られた！ 詐欺だ!」といちゃもんを付けられてしまいました。どう対応すればよかったのでしょうか?

回避方法：悪質な依頼者は一定数存在します。ブロックして未然に回避しよう

特に受注型サイトの場合、事前の相談なしにでもサービスを購入することができてしまいます。そのため、サービス内容をきちんと理解しないまま購入されてしまうことも……。回避するためには、できる限りわかりやすく「購入前のお願い事項」という形で、購入前に内容を確認するように促したり、細かく要件を記載しておくとよいでしょう。ただ、どんなに対策していても悪質な依頼者は一定数存在します。そのようなトラブルに巻き込まれないために、評価点数があまりにも悪い人や、以前の取引の評価コメントでトラブルになった形跡のある人はブロックして、そもそも取引ができないようにしておきましょう。

 著者が実際に体験したトラブル

著者はこれまでに大きなトラブルに遭遇したことはありませんが、依頼者が取引中に突然音信不通になったことがありました。結論からいうと依頼者が長期入院をしてしまい1カ月後に謝罪連絡が来て、報酬もきちんと支払われました。クラウドソーシングサービスではメッセージのやり取りだけが唯一の連絡手段のため、音信不通になった場合に連絡の取りようがありません。しかし、本人確認登録をしていれば、運営会社側から連絡が取れる可能性がありますので、本人確認済の依頼者とやり取りをすることをおすすめします。

クラウドソーシングサービスが
低単価な理由と指名発注の存在

大手クラウドソーシングサービスで取引されている案件の中には、市場価格に比べて低単価な案件が多く見受けられます。その理由はおもに2つあります。

1つは、低単価でも仕事を受けてくれる人が存在するからです。クラウドソーシングサービスで受注をしている人はさまざまな人がいます。フリーランスを本業として仕事を受注している人、副業として会社員の傍ら仕事をしている人、家計の足しにしようと仕事を請け負う主婦。中には少しだけお小遣い稼ぎをしたい（利益は度外視）という人もいるので、低単価であっても仕事を受けてしまう人もいます。そのためクラウドソーシングでは低単価になりがちなのです。

2つ目の理由は、依頼者が市場価格を知らないからです。特にWeb制作やシステム開発といった価格帯に幅があるようなジャンルでは、依頼者側もいくらくらいで発注すべきなのかがわからないのです。そのため、受注側からするとあり得ないような低価格での発注案件が登録されていたりするわけなのです。
ただし、これに関しては最近ではクラウドソーシングサービス側でも対策を行っており、仕事ジャンル別に最低発注単価が決められているサービスや、適正価格かどうかを自動判別し表示するように工夫されているサービスもあります。こうすることで、依頼者側も市場価格を知ることができ、適正価格での発注をするようになってきました。

上記のように、クラウドソーシングサービスが低単価な理由は、依頼者側、受注者側双方に原因があるわけなのですが、実は低単価な案件ばかりではないのです。クラウドソーシングでは一度取引実績のある依頼者から、もう一度依頼したい！　と「指名発注」をいただくことがあります。いわゆるクローズド案件といわれるものです。指名発注の場合、単価については交渉をする余地がありますし、公に公開されている案件より高単価で成立することが多いのです。

第 4 章

難易度別! Webサイト制作
副業をやってみよう

難易度1　Web作成ツールで Webサイト制作

今はプログラミングの知識がなくても、かんたんにWebサイトが作れてしまう便利なツールがたくさんあります。実はこのWeb作成ツールを使って副業することも可能なのです。

🔑 作成ツール例

🔑 依頼の相場

✒ Web作成ツールとは

　ホームページを作るためには本来HTMLやCSSといったプログラミング知識が必要ですが、専門的な知識がなくてもかんたんにクオリティの高いホームページを作ることができる無料ツールが多く存在します。

◉無料のWeb作成ツール例

- ・Wix
- ・ジンドゥー
- ・ペライチ
- ・グーペ
- ・Ameba Ownd
- ・BASE（ネットショップ向け）

　Web作成ツールには、豊富なテンプレートが用意されていて、テンプレートに沿って画像や文字を当てはめていき、公開ボタンを押すだけで、誰でもかんたんにホームページを作ることができます。

　「誰でもかんたんに作ることができるなら、わざわざお金を払ってホームページ作成の依頼をする人はいないのでは?」と疑問に思う方もいるかもしれません。

　では、実際にクラウドソーシングサービスに登録されている案件事例をもとに、副業として取り組んだ場合にどのくらい稼ぐことができるのか見てみましょう。

　以下はクラウドソーシングサービスに登録されている案件の例です。これを見てもわかる通り、WixやジンドゥーなどのWeb作成ツール利用をあえて指定してホームページの作成依頼をするクライアントは意外と少なくありません。Web作成ツールを使えばかんたんにサイトが作れるのに、**それすらも面倒だからお金を払ってでも外部にお任せしたい**という人が結構いるということです。

　案件単価はそこまで高額ではありませんが、～ 50,000円位の案件もあり、月に3 ～ 4件受注すれば月10万円を稼ぐことは可能です。

◉Web作成ツールでWebサイト制作依頼の一例

ジンドゥーによる健康食品の販売用ＬＰ

レスポンシブサイト制作／ＩＴ・通信・インターネット

プロジェクト　20,000 円～ 50,000 円／固定

ジンドゥーにてホームページ制作

EC サイト・ネットショップ構築／卸売・小売

プロジェクト　20,000 円～ 50,000 円／固定

Wix を用いた商品 Web サイトの改善依頼

Web ディレクション／IT・通信・インターネット

プロジェクト　20,000 円～ 50,000 円／固定

Wix を用いた海産物の EC サイト構築

レスポンシブサイト制作／IT・通信・インターネット

プロジェクト　30,000 円～ 40,000 円／固定

Wix での Web サイトデザイン

Web デザイン／スポーツ・フィットネス

プロジェクト　40,000 円～ 50,000 円／固定

ジンドゥー制作ホームページの微修正

ホームページ制作・作成／IT・通信・インターネット

プロジェクト　20,000 円～ 50,000 円／固定

ここで、Web作成ツールを使った場合のメリットとデメリットについても解説します。

▣ Web作成ツールを使うメリット

1. センスのよいホームページが作成できる

　Web作成ツールでは、デザインテンプレートが数多く用意されていて、デザインの知識がなくてもセンスのよいホームページを作ることができます。たとえばWixでは数百種類以上のテンプレートが用意されていて、ビジネス・飲食・ブログなどのカテゴリに分かれており、カテゴリを選択すると目的に合ったテンプレートをおすすめしてくれます。

2. すぐにホームページを作ることができ、更新がかんたん

　Web作成ツールを使うと、難しい設定など必要なく公開ボタンを押すだけで、すぐにホームページを作成することができます。また、編集画面も視覚的・感覚的にわかりやすいものが多く、ドラッグアンドドロップで編集ができるため、更新や情報の追加作業も比較的かんたんに行うことができます。

3. ドメイン・サーバーも丸ごとセットでかんたん

　通常、ホームーページを作るためには、ドメイン（xxxxxx.co.jpのようなアドレスのこと）やサーバーを準備する必要がありますが、Web作成ツールを使えばこれらは最初から組み込まれていて、準備する必要はありません。必要なものはメールアドレスくらいです。初心者にとってはサーバー設定などの難しい操作がないだけでハードルはかなり低くなります。

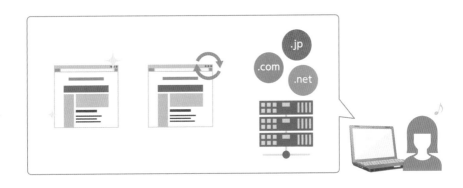

◉Web作成ツールを使うデメリット

1. デザインの自由度が低い

　Web作成ツールを使用すると、デザインの自由度が低いことがデメリットとして挙げられます。あくまでもテンプレートに沿った形でコンテンツを埋めていくことしかできないため、細かいカスタマイズをすることができません。また、最初にテンプレートを決めてしまうと途中でデザインを変更することができない点が難点です。

2. 広告表示が出てしまう

　無料のWeb作成ツールの場合、作成したホームページ上に広告が表示されることが多いです。ホームページの内容とは関係ない広告バナーなどが出てしまうため、サイトの内容によってはあまり見栄えがよくない場合があります。広告表示を消すためには有料版にしなければならないところが多いです。

3. 機能制限がある

　Web作成ツールを使用したホームページの場合、さまざまな機能制限があります。たとえばバックアップが取れないこともその1つです。ホームページのデータ自体のバックアップを取ることができないため、万が一データが消えてしまったりログインできなくなったりした場合に、サイトを復活させることができません。

　また無料版の場合、データ容量の上限が決まっていたり、独自ドメインの設定ができなかったりするといった機能制限もあります。

4. ツール提供元に依存する形でしかサイト運営できない

　根本的にWeb作成ツールを使って作るサイトは、そのツール提供元に依存する形でのサイト構築になります。そのため利用しているサービスが突然終了になったり、データが消去されたりするリスクがあります。また利用規約が変更された場合には、それに従って内容を変更しなければならないことも発生します。

> ### 難易度 1　Web 作成ツールまとめ
> ✓ 初心者でもかんたんに Web サイトが作成できる
> ✓ 受注案件は意外と多く副業としても十分に成立する
> ✓ デザインや機能のカスタマイズはしにくく機能制限がある
> ✓ 月に 3 ～ 4 件の案件受注で 10 万円達成可能

Section

25

難易度2　WordPressで Webサイト制作

🔑 WordPress

🔑 依頼の相場

WordPressはもっとも有名なCMS（専門知識がなくてもWeb ページのコンテンツを管理できるしくみ）です。需要が高く、初 心者の副業としても取り組みやすい方法の1つです。

✒ WordPressとは

　WordPress（ワードプレス）とは、ブログやホームページをかんたんに作成できる CMSのことです。

　CMS（コンテンツ管理システム）とは、専門知識がなくてもWebページのコンテンツ を管理できるしくみのことを指します。CMSはたくさんの種類が普及していますが、中で もWordPressは世界のトップシェアを誇ります。WordPressには「テーマ」と呼ばれる テンプレートが用意されていて、デザインなどの内容が一式セットになっています。そのた め、テーマを変更すれば複雑な処理を行うことなく、Webサイトのデザインや構成、機能 などを変えることができます。テーマは公式のもの以外にもたくさんのデザインがインター ネット上で配布されていて、無料テーマ・有料テーマが存在します（テーマについては P.102参照）。

WordPressは人気が高い分、クラウドソーシング上での案件数も非常に多いです。WordPress制作というカテゴリが別枠であるクラウドソーシングサービスもあります。
　案件の例としては以下のようなものがあります。

◉WordPressでWebサイト制作依頼の一例

WordPress によるホームページ作成（ブログ形式）

レスポンシブサイト制作／IT・通信・インターネット

プロジェクト　50,000 円〜 100,000 円／固定

【シフト制】WordPress でホームページ制作・更新（継続案件 5 〜 10 万 / 毎月発注）

CMS 構築・WordPress 制作・導入／ IT・通信・インターネット

プロジェクト　50,000 円〜 100,000 円／固定

Welcart を使った WordPress の EC サイト制作（コーディングのみ）

EC・通販 Web サイト制作／広告・イベント・プロモーション

プロジェクト　100,000 円〜 200,000 円／固定

WordPress によるホームページ制作◆ 7 月末納品希望

CMS 構築・WordPress 制作・導入／卸売・小売

プロジェクト　200, 000 円〜 300,000 円／固定

WordPress の既存テーマでホームページ作成

EC・通販ホームページ制作／卸売・小売

プロジェクト　500,000 円〜 1,000,000 円／固定

飲食店のホームページ作成（WordPress）

ホームページ制作・作成／IT・通信・インターネット

プロジェクト　50,000 円〜 100,000 円／固定

　WordPressを利用した案件は単価幅が非常に広く、案件の内容によってさまざまですが、総じてWeb作成ツールを使った案件より高単価であることがわかります。月に1、2件程度受注することができれば、月10万円を稼ぐことは可能です。

第
4
章

難易度別!　WEBサイト制作副業をやってみよう

87

WordPressを使うメリットとデメリット

ここでWordPressを使った場合のメリットとデメリットについても解説しておきます。

WordPressを使うメリット

1.HTMLなどの専門知識がなくても作成できカスタマイズも自由

下の画面はWordPressの編集画面ですが、視覚的・感覚的に入力することができ、公開を押すだけでWebサイトが完成します。

HTMLなどの専門知識がなくても作成できるという点においてはWeb作成ツールと同じですが、WordPressの場合はカスタマイズも比較的自由に行うことができるというメリットがあります。

テーマを変えればかんたんにデザインチェンジができますし、機能追加もプラグイン※によってかんたんに行うことができます。

※プラグインとは、WordPress本体には付いていない機能をあとから追加することができるしくみです。たとえば問い合わせフォームを設置したい！という場合には、「Contact Form7」というプラグインをインストールするだけで問い合わせフォームを作ることができます。

▲ WordPress編集画面

2.有名なCMSであるため使い方のQ&Aも豊富に存在

とある統計によると世界中のWebサイトのうち、約4割がWordPressで作成されているといわれています。つまりWordPressを利用している人が非常に多いため、操作で不明な点があった場合に、ネットで調べればたくさんの情報が出てきます。初心者にとっては不明点がすぐに解決できる点は大きなメリットの1つです。

3.独自ドメイン可能！自分で1からサイト構築できる

WordPressを利用する場合、独自ドメインでサイトを作ることができます。また、サーバーを自分で準備するため、Web作成ツールのように提供会社に依存してしか、サイトを

第4章　難易度別！Webサイト制作副業をやってみよう

88

構築できないというわけではなく、自分で1からサイト構築ができます。そのためサイトが突然閉鎖してしまうといったリスクがありませんし（サーバーダウンを除く）、バックアップも取っておくことができるので、万が一の際にも安心です。

● WordPressを使うデメリット

1.まったくの初心者の場合、一定の学習が必要

メリットの1つ目に専門知識がなくてもWebサイトを作成できると挙げましたが、実はWeb作成ツールほど、まったくの初心者が誰でもかんたんにサイトを構築できるというわけではありません。WordPressをはじめるためには、まずサーバーを契約し、そこにWordPressをインストールし、ドメインを設定する必要があります。この時点で初心者には少しハードルがあり、まったくの初心者では難しく感じます。ある程度使いこなせるようになるためには一定の学習は必要です。

2.セキュリティ面とバージョンアップが必要

世界中で多く利用されているCMSのため、ハッキング被害にも遭いやすいというデメリットがありますが、この点に関しては定期的にWordPressのバージョンアップが行われており対策がされています。しかし、バージョンアップをした際にレイアウトが崩れてしまったり、プラグインが動かなくなってしまったりと、バージョンが変わるたびにそれに応じた対応が必要になります。

3.激戦のため初心者は低単価案件しか取れない可能性も

WordPressは人気であるが故に受注者も多く存在するため、かんたんで手軽な案件はライバルが多く案件獲得は激戦になります。高単価な案件を獲得するためにはWordPressを使いこなす必要があり、そのためには、HTML、CSS、PHPといった専門知識が必要です。

難易度2 WordPress まとめ

✓ 有名CMSで利用者が多く、案件が豊富
✓ デザインのカスタマイズや機能追加が比較的かんたんに行える
✓ まったくの初心者には少しハードルあり
✓ 月に1～2件で10万円達成可能

Section

26

難易度3 HTML テンプレートでWebサイト制作

🔑 HTMLテンプレート

🔑 依頼の相場

3つ目の方法はHTMLテンプレートを使う方法です。難易度3とはいっても、初心者が0から勉強しても比較的かんたんに作成することができます。

✍ HTMLテンプレートとは

HTMLテンプレートとは、ホームページ作成に必要なデザインや機能にかかわるすべてのファイルが一式パッケージになっている雛型のことです。初心者がHTMLを勉強して、0からホームページを作ることは可能ですが、どうしても素人っぽいデザインになってしまいますし、1からコーディングするということは、まっさらなキャンバスに絵を描いていくようなものです。初心者がいきなり、カッコイイ絵を描けといわれても難しいと思いますが、下書があって、そこに色を塗っていくだけならできそうですよね。ホームページも同じで、デザインを1からコーディングするのは難しいですが、HTMLテンプレートを使えば、初心者でもプロのようなデザインのホームページを作ることができます。

HTMLテンプレートには、以下のようなファイルが梱包されています。

ファイル内容	具体例	おもな役割
HTML ファイル	index.html company.html service.html など	文章やコンテンツ内容が書かれたもの
CSS ファイル	style.css など	ホームページのデザインについて書かれたもの
JavaScript	script.js	ホームページに動きを付けるために書かれたもの (例:スライドショーなど)
画像データ	image.jpg logo.png など	ホームページに使われている画像

HTMLテンプレートはさまざまなサイトで無料配布されていますが、そのデザインの著作権はテンプレート配布会社にあることが多く、基本的に著作権表示(クレジット表記)が必須になります。著作権表示を外すためにはライセンス契約などが必要になりますので、ダウンロードサイトの規約をよく確認しましょう。

HTMLテンプレートでいくら位稼げる?

　HTMLテンプレートを使って作成してください！　という依頼案件はなく、ホームページ
を作成してほしいという案件は、基本的にすべてHTMLテンプレートでも対応できます
（WordPressを指定している場合や、テンプレート不可と指定されている場合は除く）。
　具体的にホームページ作成の案件にはどのようなものがあるか見てみましょう。

◉HTMLテンプレートでWebサイト制作依頼の一例

| **新規事業のホームページ制作** |
| ホームページ制作・作成／広告・イベント・プロモーション |
| プロジェクト　100,000 円〜 200,000 円／固定 |

| **雑貨店ホームページ制作** |
| ホームページ制作・作成／卸売・小売 |
| プロジェクト　50,000 円〜 100,000 円／固定 |

| **老舗和菓子店のホームページ作成（新商品特設ページ）** |
| ホームページ制作・作成／IT・通信・インターネット |
| プロジェクト　50,000 円〜 100,000 円／固定 |

| **バンドの公式ホームページ作成** |
| ホームページ制作・作成／芸能・エンターテインメント |
| プロジェクト　100, 000 円〜 200,000 円／固定 |

| **警備会社のコーポレートサイトの作成** |
| ホームページ制作・作成／清掃・設備・警備 |
| プロジェクト　50,000 円〜 100,000 円／固定 |

　ホームページ作成のおおよその相場は一般的なサイトであれば10万円前後、少しおお
がかりなサイトでは20万〜 50万前後くらいです。上記を見るとクラウドソーシングで募集
されている案件は若干安めの価格帯であるものの、おおよそ相場からは外れていないと思
います。一般的なサイトであれば月に1、2件程度を受注することができれば月に10万円
稼ぐことができます。

▣HTMLテンプレート使うメリット

1．洗練されたデザインのホームページを手軽に作ることができる

　HTMLテンプレートの作成はプロのWebデザイナーが作成していることが多く、そのデザインは非常に洗練されたものが多いです。有料のテンプレートはもちろんのこと、無料テンプレートでも十分なクオリティのものが多くあります。素人では作成できないような洗練されたホームページを作ることができるというのは大きなメリットです。

2．ゼロからコーディング作業を行う必要がなく効率的に作成できる

　コーディングとは、こんなホームページを作りたいなというデザインイメージを、実際にHTML/CSSなどのプログラミング言語を使って記述していく作業のことです。1からコーディングを行うことは、HTML/CSSなどの知識が不可欠ですし、難易度は高いです。テンプレートを使えば、コーディングがほぼ終わった状態から修正を加えていくだけでホームページを作成することができるため、効率的に作成ができます。

3．ホームページの構成がシンプルでわかりやすい

　Webサイトというものは基本的にすべてHTMLで作られています。これまで紹介してきたWebサイト作成ツールやWordPressも、ツールを使って入力することでHTMLを書き出しているだけなのですが、HTMLテンプレートの場合は、この基本のHTMLだけを使って作成するわけなので、サイト構成が非常にシンプルです。また、ホームページを移転（サーバー引っ越し）する際には、HTMLファイルを丸ごと動かすだけで完了し、バックアップもHTMLファイルを一式保存しておくだけで完了します。

◉HTMLテンプレートであればWebサイトの移転もかんたんにできる

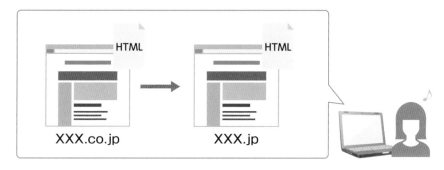

■HTMLテンプレート使うデメリット

1．他社のホームページとデザインが似てしまう可能性がある

　テンプレートを使用すると、同じテンプレートを使用したホームページがあった場合に、どうしてもデザインが似たような形になってしまう可能性があります。メリットで挙げたようにCSSをカスタマイズすることでデザインは変えられるのですが、骨組みが同じなのでどこか似てしまうというデメリットがあります。たとえば家を建築するときに、基礎工事やフロアのレイアウトが同じだった場合、外観や内装・中に置く家具をいくら変えてもどこか似ているというようなイメージです。

　ただ、テンプレートには何千種類ものテンプレートがありますし、そもそも世界中には何百万ものWebサイトがあるわけですから、仮にどこかのサイトと似ていたとしてもそれに気が付く可能性は低いですが、独自性の低いサイトになってしまうというデメリットがあります。

2．デザイン変更にはCSSやJavaScriptなどの編集が必要

　HTMLテンプレートのデザインは、CSSによって定義されていて、デザインをカスタマイズするにはCSSを編集する必要があります。CSSの編集は初学者には少々ハードルが高いものです。また、スライドショーなどの動きを付けたい場合はJavaScriptの理解が必要になりますし、メールフォームを設置したいという場合にはPHPなどの知識も必要になり、初心者にはハードルが上がります。

> ### 難易度3　HTML テンプレートまとめ
>
> ✓ 初心者でもプロのようなデザインのサイトが効率的に作れる
>
> ✓ HTML/CSS などの知識が必要
>
> ✓ 月に 1 ～ 2 件で 10 万円到達可能

Section

27

難易度4　LP制作

🔑 ランディングページ

🔑 案件の相場

LP制作ではプログラミング知識に加え、デザインセンスやライティング知識も求められてきます。LP制作ができると、フリーランスとして独立も視野に入る領域に入ってきます。

✒ LP（ランディングページ）とは?

　LPとは、Landing Page（ランディングページ）の略で、検索結果やWeb広告などを経由して訪問者が最初にアクセスするページのことです。一般的には、縦に長い1ページのサイトで、商品紹介に使用されることが多いです。

　一般的なホームページとの違いは、ユーザーに情報をわかりやすく理解してもらうことが目的のWebサイトに対して、LPの目的はWeb広告から訪れたユーザーに「購入」「お問い合わせ」「資料請求」などのコンバージョン※を達成してもらうことが目的です。

　一般的なLPの構成は、縦長のページの中で上から下へ読み進めるような想定で右図のような構成になっています。

※コンバージョン（conversion：CV）とは、Webサイトにおける最終的な成果やユーザーが起こすアクションのことを指します。

一瞬で○○が実現!? あなたの○○かなえます	キャッチコピー
こんなお悩みありませんか? ✓ XXXXXXXXXX ✓ XXXXXXXXXX	共感
当社のサービスは○○! 新感覚の○○です!	提案
サービスのお申込みはこちら	途中 CV
導入によるメリット ❶　　　❷	ベネフィット※
A社：○○例 ○○がとてもよかった!	導入実績
今なら20%特別割引 なくなり次第終了です	キャンペーン情報
サービスのお申込みはこちら お問い合わせ	最終アクション

※ベネフィットとは、製品やサービスを利用することで消費者が得られる価値のことをいいます。

LP制作で副業! いくら位稼げる?

　LP制作の場合も案件によりますが、おおよそ10万円前後が相場です。LPは基本的に1ページ構成なので、「Webページを1ページ作るだけで10万円!」と考えるとかなり高単価に感じますよね。しかしLPの場合、HTMLの知識よりも、Webデザイナーとしてのデザインセンスや画像加工技術、Webマーケティング・Webライティングの知識（P.109参照）も必要になります。LPでは、実際にページを見たユーザーが購入したり、アクションを起こしてもらったりする必要があります。そのためには、ユーザーの興味を引くような高いデザイン性と、そのデザインを実現するための画像加工技術は必須です。Illustratorなどの画像加工ソフトが必須になるでしょう。**LP制作は月に1 〜 2件くらい受注できれば月10万円が実現可能です。**

LP制作の特徴

　LP制作のメリットは需要が安定して多いことです。企業というものは、常に何か物やサービスを売ることを生業としています。LPはその目的を達成するためにあるWebページなので、常に多くの需要があります。定期的に商品を出している企業であれば、1度作成したLPも変更が必要になるため、その修正依頼を継続的に受注することも可能です。

　一方で、LP制作ができるということは、Webサイト作成に関する一通りの知識が備わっていることになります。「HTML」「CSS」「Javascript」の基礎的な知識だけでOKとはいえ、初心者にとってはハードルが高いことは事実です。しかし、LP制作ができれば、フリーランスとして独立することも視野に入れることができます。

難易度4　LP 制作まとめ

✓ 案件需要が安定して多い

✓ HTML 知識のほかにデザインセンスや画像加工技術が必要

✓ 月に 1 〜 2 件で 10 万円達成可能

Section

28 難易度5 コーディングで オリジナルWebサイト制作

🔑 コーディング

🔑 依頼の相場

HTMLコーディングができるようになれば、フロントエンジニア として活躍できるレベルです。テンプレート使用ではなく完全に オリジナルのWebサイトが作成できます。

コーディングでオリジナルWebサイト制作

　HTMLテンプレートの項目で少し触れましたが、コーディングとは作成したいホームページを作りたいデザインイメージを、実際にHTML/CSSなどのプログラミング言語を使って構築していく作業のことです。HTMLテンプレートの場合はこれがすでに終わっているわけなのですが、これを1から自分でコーディングを行い、完全オリジナルのWebサイトを作るというのが今回の「難易度5 コーディングでオリジナルWebサイト制作」ということになります。1から自在にコーディングができるようになれば立派なフロントエンジニアです。

　実際の制作案件には以下のような価格帯のものがあります。

◉コーディングでWebサイト制作依頼の一例

携帯電話販売店コーポレートサイトのリニューアルコーディング

HTML・CSS コーディング／卸売・小売

`プロジェクト` 300,000 円〜 500,000 円／固定

HTML/CSS/JS コーディング（デザインシミュレータ開発）

HTML・CSS コーディング／ IT・通信・インターネット

`プロジェクト` 300,000 円〜 500,000 円／固定

HTML/CSS/JS コーディング（自社プロダクト UI 変更伴うデザイン）

HTML・CSS コーディング／ IT・通信・インターネット

`プロジェクト` 500,000 円〜 1,000,000 円／固定

アニメーションの特殊演出のある EC サイトコーディング

HTML・CSS コーディング／卸売・小売

`プロジェクト` 500,000 円～ 1,000,000 円／固定

　これを見てもわかる通り、ここから一気に高単価へとなります。中にはサイト1つで300万円というような案件もあり、副業というよりは本業フリーランスエンジニアの領域に入ってくる難易度になります。月に0.5本程度の案件が受注できれば、月10万円というラインはかんたんに超えることができるでしょう。

🖋 HTMLコーディングを使うメリットとデメリット

　HTMLコーディングによるサイト作成のいちばんのメリットは、高単価であることと、今後の需要もまだまだ落ちないと予想されることです。WordPressなどの便利なCMSが出てきた際に、HTMLコーディングはオワコンだといわれていたこともありますが、細部まで自在にデザインできるコーディングは未だ人気があります。

　また、HTMLコーディングができるとWebサイトはほとんど何でも作れますので、フリーランスとして独立することも可能です。

　一方でHTMLコーディングのデメリットとしては、作業に時間がかかかるため副業として取り組む場合は、少し負荷が大きいかもしれません。また、クライアントの要望によってはコーディングに膨大な時間がかかり、作業時間に鑑みて報酬が割に合わないことも発生しえます。**副業として実施する場合には、コーディングの修正案件から獲得していくほうが、現実的かもしれません。**修正案件とはすでにコーディングされているサイトの一部を直したい！　というような案件です。「1か所だけレイアウトが崩れてしまった」「枠組みにボタンを設置したい」など、少しの修正だけで2 ～ 3万円というような案件も多いです。

難易度5　HTML コーディングによるサイト作成まとめ

✓ フロントエンジニアとして活躍できるレベル

✓ 月に 0.5 本で 10 万円到達可能

✓ 副業にはコーディング修正案件が現実的

29

難易度最上級
多機能サイトの構築

🔑 多機能サイト

🔑 依頼の相場

もっとも難易度の高いものとして、情報を伝えるWebページだけでなく、会員機能・カート機能・予約機能といったプログラム組み込み型のサイト構築について解説します。

✍ 多機能サイトとは?

　多機能サイトとは、Webページの中に、会員機能・カート機能・予約システムといった機能が組み込まれているサイトのことで、マッチングサイトなどもその1つです。

　多機能サイトを作成するためには、情報を伝えるWebページの作成のほかに、各機能のプログラム開発が必要になります。機能を搭載する方法は0から自分で構築する方法と、既存パッケージシステムを埋め込む方法の2種類があります。0から自分で構築すれば完全オリジナルのシステムが作成できますが、HTML/CSS/PHP/Javaといったプログラミング言語のスキルが必須になります。一方、既存パッケージシステムを埋め込む場合は必要な機能をすぐに使うことができますが、機能をすべて利用しようとすると月額費用がかかるサービスがほとんどです。

　以下に代表的なパッケージシステムを挙げておきます。

> **・会員機能**
> シクミネット /MMB/Smart Core/MiiT+/CLUBNET
>
> **・カート機能**
> BASE/ カラーミーショップ / Shopify/ MakeShop
>
> **・予約機能**
> Stores 予約 /Air リザーブ /SuperSaaS/RESERVA

多機能サイト構築でいくら位稼げる?

　多機能サイトの制作には、各機能の搭載が必要なこともあり高単価な案件が多くあります。特にカート機能+決済機能が付いたECサイト（ネットショップ※）作成案件が多くあります。こちらもHTMLコーディング案件と同様に、月に0.5本程度の案件が受注できれば月10万円というラインはかんたんに超えることができるでしょう。

※本来ECサイトとはイーコマース（電子商取引）を行うすべてのWebサイトを総称のため、ネットショップ以外にもネットオークションサイトやコンテンツ販売サイト、オンライントレードなどのサイトが含まれますが、通常ECサイトというとネットショッピングサイトを意味することが多いです。

多機能サイト作成の特徴

　多機能サイトを作成するためには、サイト設計から運用までトータルコーディネートをしていく必要があります。予約機能を搭載しているサイトということは、ユーザーにそのWebサイトから予約をしてほしいから、カード機能があるということは購入をしてほしいからなのです。つまり、売上に直結するようなWebサイトを構築・編集・デザインし、そのあとの運用をクライアントが行っていけるようなものを作る必要があり、総合的なWebスキルが求められるでしょう。

　また、一度機能を作ってしまえばそれをパッケージ化し販売することも可能ですし（詳しくは第5章で解説）、その機能をベースに少しずつカスタマイズすることで別サイトでも利用することができます。

難易度6　多機能サイト作成まとめ

✓ 0からの機能構築にはプログラミングスキル必須

✓ パッケージシステムの埋め込みであればHTML/CSSのスキルだけでも対応可能

✓ 月に0.5本程度で10万円到達可能

Python
HTML
JS
CSS
Ruby
PHP

Section

30 初心者におすすめの方法は HTMLテンプレート

🔑 HTMLテンプレート

🔑 WordPressテーマ

本書ではHTMLテンプレートを使用した方法をおすすめしています。需要が高いことと、プログラミング知識が浅い初心者でもはじめやすいからです。

🖋 初心者におすすめの方法はHTMLテンプレート

　ここまで、難易度別にWebサイト制作方法を紹介してきましたが、本書でおすすめしたい方法は、HTMLテンプレートを使用した制作方法です。HTMLはもう古い！　これからはWordPressだ！　という意見が多い中、あえてHTMLテンプレートをおすすめする理由を解説していきます。

🔲 理由①需要が高い

　これまでHTMLで作成してきたホームページをWordPressへ移行したいという需要は増加傾向にあることは事実です。WordPressが登場する前までは、ほぼすべてのホームページはHTMLを使って作成されてきており、Web制作業者に頼んで作成してもらうしかありませんでした。少し修正するにもHTMLの知識が必要で、自分でメンテナンスをすることができなかったのです。しかし、WordPressの登場によりもっと手軽に更新していきたいというクライアントは多く、HTMLからWordPressへ移行する流れは一定数あります。その一方で、企業サーバーではWordPressに対応していない場合や、少しはHTMLの知識があり、かんたんな修正はできるのでこれまで慣れ親しんだHTMLでこれからも作成してもらいたいという需要も一定数あるのです。

🔲 理由②競合が少ない

　WordPressの場合、HTMLの知識がなくてもサイトが作成できるということから、扱える人が多く、競合が多過ぎます。そのため、WordPress案件には多数のライバルがいて、なかなか案件を受注することが難しいのです。WordPressもHTML/CSSを使って自在にカスタマイズできるレベルまで習得できれば話は別ですが、初心者ができるレベルの範囲では作成できる人が多過ぎて単価が安くなってしまいます。

第4章 難易度別！ Web サイト制作副業をやってみよう

一方、WordPressは扱えるけどHTMLはできないという人は意外と多く、HTMLテンプレートで案件を受注する競合が少ないのです。

◻ 理由③HTMLの勉強になる＆発展性が期待できる

HTMLテンプレートは、プロが作成したCSSやHTMLの構造を見ることができます。テンプレートを使って副業で稼ぎつつ、HTML自体の勉強にもなるからです。HTMLの理解が深まっていけばゆくゆくはHTMLコーディングもできるようになり、自分で1からテンプレートを作れるようにもなります。

また、現在はCMSの中ではWordPress一強状態となっていますが、今後次世代CMSが出てくることも考えられるため、せっかく身に付けたWordPressが使えなくなってしまう可能性もゼロではありません。しかしHTMLが今後なくなることはまずありません。

上記のような理由から、著者はHTMLテンプレートをおすすめしていますが、WordPressはおすすめしないというわけではありません。何度もいうようにWordPressの需要は増加傾向で世界中のWebサイトの約4割がWordPressで作られていて、今後もその割合は増えていくことでしょう。WordPressのスキルがあれば決して無駄にはなりません。

しかし、あなたが今、WordPressもHTMLテンプレートもできなくて、これからどちらかを勉強して稼げるようになりたいと思うのであれば、HTMLテンプレートをおすすめしたいのです。

しかし、すでにWordPressが使える人、ゆくゆくは自分のブログを立ち上げたいと思っている人であれば、WordPressを狙っていくのもありだと思いますし、著者はWordPress案件も受注しています。

✍ おすすめのHTMLテンプレート配布サイト

ここでは、おすすめのHTMLテンプレートを配布しているサイトを紹介していきます。

1．Template Party（https://template-party.com/）

Template Partyでは1,000種類以上のテンプレートが公開されています。また、2、3か月のペースで、新しいテンプレートも次々公開されていますので、その種類は今後も増えていくことでしょう。Template Partyのテンプレートは、初心者にとてもやさしいHTMLの作りをしていてわかりやすく、CSSファイルには、1行1行何を意味した記述なのかコメントの解説もされています。

101

また、業種ごとに想定された
テンプレートが用意されていて
（たとえば歯医者、ホテルなど）
イメージに合ったテンプレートを
探しやすいことも特徴です。

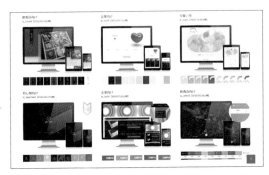

著作権表示を外すためには、
一般ライセンスコース（3,190
円、1つのテンプレートのクレジッ
ト表示を外すことが可能）、永久ライセンスコース（22,000円、毎月最大10コードまで
半永久的にライセンスコードを取得可能）の2つのコースがあります。

2.CLOUD TEMPLATE（https://c-tpl.com/）

CLOUD TEMPLATEで は、
1,400種類以上のテンプレート
が販売されています。シンプル
でおしゃれなテンプレートが多い
こ と が 特 徴 で す。CLOUD
TEMPLATEでは、Web制作業
者 が 利用することを想定して、

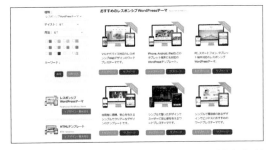

サンプルデモサイトまで用意してくれているため、ポートフォリオがあまりない副業初心者
がWeb制作を行う場合にも、非常に取り組みやすくおすすめです。

1,980円でライセンスを購入することができ、一度購入したら何度でも使用可能なため、
同じテンプレートを使って作成する場合には、再度ライセンス購入は不要です。

おすすめのWordPressテーマ

WordPressはもともとブログ機能が有名で、ブログを書くようにページを次々に作って
いくことができます。

そのため、ブロガーがよく利用する**ブログ型テーマ**といわれるものが多いのですが、最
近ではWordPressを企業サイトに導入することも増えてきました。有名な企業でいうと、
クックパッドや博報堂、楽天などのコーポレートサイトでWordPressが使用されています。
企業サイトには、**サイト型テーマ**といわれるものを利用する場合が多いです。今回は、企
業向けサイトとして人気のサイト型テーマを2つ紹介します。

無料テーマ：Xeory Extension（https://xeory.jp/extension/）

Xeory Extensionは、よく見る1カラムタイプのサイトにブログ機能を搭載したテーマで、企業の特徴、サービス紹介、会社情報、お問い合わせと企業サイトに必要なコンテンツや、SNSシェアボタン表示のON/OFF機能があらかじめ備わっています。

有料テーマ：TCD（https://tcd-theme.com/）

日本でもっとも多く利用されている有料テーマといえばTCDではないでしょうか？　コーポレートサイトに加え、レストラン・ホテル・美容サロン・病院クリニック向けなど業種別に分かれているので、方向性に添ったテーマが探しやすいです。なお制作代行で使用する場合は、特別ライセンスの取得が必要となります。

◉ 無料テーマと有料テーマの違い

WordPressテーマには無料テーマと有料テーマがあります。一概にどちらがよいとはいえませんが、有料テーマのほうが、デザイン性は高く、サポート体制も整っているため、初心者でもカスタマイズしやすいことが多いです。しかし副業としてWeb制作を請け負う場合、有料テーマを使用するとテーマ代が費用としてかかってしまうため、クライアントにテーマ代を持ってもらわない場合は利益が少なくなります。

 テンプレートやツール使用時の注意点

使用するテンプレートによっては、Web制作代行業務などで使用する場合には別途ライセンスなどが必要な場合があります。また次ページより紹介する作成ツールなどについても、利益が出る場合には使用可否を含めて使用する前に規約を確認しましょう。

Section 31

Webサイト制作で必要な無料ツール

🔑 ロゴ・バナー・アイコン

🔑 画像加工

Webサイトを作成する上では、サイト内に使用する画像やロゴ・バナーなどを作成する必要があります。その際に便利なツールを紹介します。

✏️ Webサイト制作で必要な無料ツール

　Webサイトを制作するにあたっては、さまざまなツールが必要です。おもに画像作成や加工に使用するソフトです。有名なソフトとしてはIllustratorやPhotoshopが挙げられますが、どちらも有料ソフトです。いきなり有料ソフトを購入するにはハードルが高いという方向けに、今回はすべて無料で利用できるツールを紹介します。

◎ ロゴ作成ツール

　Webサイトのタイトル部分にはこのようなロゴ画像が用いられることがほとんどです。

　作成する文字に合わせておしゃれなタイトルを作成できるツールを探しましょう。今回はかんたんに無料で使用できるロゴ作成ツールを3つ紹介します。

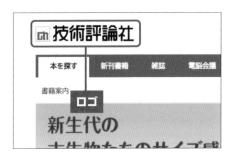

ロゴ作成ツール	特徴	作成できるロゴ事例
LOGOSTER (https://www.777logos.com/)	1,024 ピクセル以上は有料 ユーザー登録が必要	PROGRAMMING
Canva (https://www.canva.com/ja_jp/)	ユーザー登録が必要 ロゴ以外にもさまざまなデザインが可能	Programming
CoolText (https://ja.cooltext.com/)	ユーザー登録不要 派手なデザインが豊富 日本語フォントは少なめ	Programming

バナー作成ツール

バナー（banner=旗、横断幕）とは、ほかのWebページにリンクされた画像のことで、お問い合わせやキャンペーンなどクリックを促したい場合に目立つように作成された画像のことです。

◀ バナー例

バナー作成の手順は、①文字を書き出す、②画像を準備する、③レイアウトを決める、④デザインソフトで作るという4ステップです。バナー作成はかんたんそうに見えて、実はデザインセンスが求められ、素人が1から作成すると、どうしても素人っぽさが出てしまいます。そこで、テンプレートに文字を当て込んでいくだけで、誰でも無料でかんたんにおしゃれなバナーを作成できるツールを紹介します。

バナー作成ツール	特徴	作成できるロゴ事例
Canva (https://www.canva.com/ja_jp/)	テンプレートに沿って編集するだけでスタイリッシュなデザインが作成可能	文系でも月10万稼ぐ **プログラミング** **副業に挑戦** 詳しくはこちらをクリック
バナー工房 (https://www.bannerkoubou.com/)	ポップなデザインのバナーが作成可能	お問い合わせはこちら

このような無料ツールで作成に慣れてきたら、画像加工ソフト（後述）を使って、1からバナーを作成してみると、完全オリジナルのバナー作成を行うことができます。その際に、バナーデザインの参考になるサイトを掲載します。

バナーデザインの参考サイト

・Retro Banner（https://retrobanner.net/）

・バナーデザイン・サンプルデータベース（http://aka-design.sub.jp/bd/）

◘ アイコン作成ツール

　ホームページ上で、アイコンを使用すると一気におしゃれなホームページになります。た
とえば以下のようなメニューバーにアイコンがあるのとないのとでは、雰囲気や見やすさ
が変わります。

▲ アイコン例

　アイコンと一口にいっても、実はホームページ上で使用するアイコンにはさまざまなも
のがあります。

- **SNSアイコン**：TwitterやInstagram、FacebookといったSNSのアイコン
- **リストアイコン**：メニュー一覧や、箇条書きの際に用いるアイコン
- **ファビコン**（favorite icon の略）：お気に入りしたときに表示、ページタブに表示される
  アイコン。サイトのブランディングが高まる

◀ このようなタブに表示されるマークのこと

　アイコンを作成にあたっては、オンラインで無料で加工作成できるツールも多くあります
し、アイコン素材サイトとしてフリー素材を配布しているサイトもありますので、以下に紹
介しておきます。加工できると、サイトカラーに合わせて色味を変更したりできるので非常
に便利です。

アイコンを作成加工できるツール	アイコン素材サイト
・ICOOON MONO （https://icooon-mono.com/） ・Icon Monstr （https://iconmonstr.com/） ・CMAN （https://sozai.cman.jp/）	・Human Pictogram 2.0 （http://pictogram2.com/） ・落書きアイコン （https://rakugakiicon.com/） ・FLAT ICON DESIGN （http://flat-icon-design.com/）

◻ 画像加工ソフト

　Webサイトを作成する上で、画像データは必ず利用します。画像のクオリティによって
サイトの印象は大きく変わるため、画像加工ソフトも使用する機会は多くあります。具体的
な使用用途としては、画像内に文字を入れる、画像像の明るさを調整する、ぼかしを入れ
たり・フィルター加工をする、トリミングや合成をする、レタッチや背景透過にするなどが
挙げられます。IllustratorやPhotoshopなどの有料ソフトが有名ですが、いきなり有料ソ
フトは……という方に、今回は無料の画像加工ソフトとフリー画像のダウンロードサイトを
紹介します。

オンラインタイプ画像加工ソフト

　フォトエディターのPixlr（ピクセラ）がおすすめです。こちらはオートデスク社が提供す
る無料の画像処理ソフトで、オンラインで操作保存が可能なためソフトのインストールをす
る必要もなく、手軽に使用することができます。PSD（Photoshop）、PXD、Jpeg、
PNG（透過画像）、WebP、SVGなどほとんどのフォーマットに対応しています。Pixlrでは、
自動背景除去、塗りつぶし、グラデーションツール、ぼかし、切り抜き、染み抜き、図形、
文字入れ、トリミング、画像回転サイズ調整など、大抵の加工は網羅しています。

インストールタイプ画像加工ソフト

　GIMP（ギンプ）がおすすめです。PhotoShopとほぼ同じような性能を有していて無
料というすばらしいソフトです。

フリー画像のダウンロードサイト

サイト名	特徴
photoAC (https://www.photo-ac. com/)	無料ダウンロード可能で日本人好みな写真素材が多い。無料会員の 場合、1日のキーワード検索回数やダウンロード可能枚数に制約が ある
PIXTA (https://pixta.jp/)	有料販売されている高品質な画像が豊富（期間限定で無料ダウンロー ドがあり）。ダウンロードできる画像データのサイズはS、M、L、 XL、Vの5種類
O-DAN (https://o-dan.net/ja/)	海外会社が運営している素材サイトだが、日本語でもキーワード検 索可能。40サイト以上の海外の無料写真素材サイトを横断して検索 することができる
ぱくたそ (https://www.pakuta so.com/)	無料の写真素材サイト。日本人向けの写真も多く、ダウンロードも かんたんにできる

Section 32

Webサイト制作で必要な知識

🔖 ライティングスキル
🔖 キーワード

これまで紹介してきたWebサイト制作方法において、必要な知識についてまとめます。Webライティング・Webマーケティングといったプログラミング以外の知識についても解説します。

Webサイト制作で必要な知識とは?

ここまで紹介してきた難易度別のWebサイト制作方法において、必要な知識をかんたんに以下にまとめました。

難易度	サイト作成方法	必要な知識
★	Web作成ツール	テンプレートに沿って作成していくため、必要な知識は特にない。操作に慣れるまでは時間を要する場合あり。 ただし、思い通りのレイアウトや細かいデザイン調整をしたい場合には、HTMLなどの知識が必要
★★	WordPress	Webサイトを作成するためのツールの一種（CMS）のため、特に必要な知識はないが、サーバーへのインストールや、編集画面にも専門用語が少し出てくるため、調べながら進めていく力が必要。ただし、思い通りのレイアウトや細かい調整をしたい場合には、HTML/CSSの知識が必要
★★★	HTMLテンプレート	HTMLの基礎知識が必要。テンプレートに沿った形で作成する場合には基本的なHTMLタグのみの知識でOK（P.185参照）。 ただし、デザインのカスタマイズにはCSSの知識、動きを付けるためにはJavaScriptの知識が必要
★★★★	LP制作	HTML全般の知識が必要。また、そのほかにもデザインセンスや画像加工技術、Webマーケティング・Webライティング（次ページ参照）の知識が必要
★★★★★	HTMLコーディング	HTML/CSSの深い理解と知識が必要。加えてデザインセンスが必要。また、動きのあるサイトを作りたい場合は、JavaScriptの知識、メールフォームを設置したい場合はPHPの知識も必要
★★★★★★	多機能サイト	HTML/CSSの深い理解と知識が必要。加えて機能構築のため、PHPやJavaといったプログラミング言語の知識が必要（ただし、外部の機能パッケージを埋め込む場合は不要）。さらに、ユーザーのアクションに結び付くためにWebマーケティング・Webライティングなどの総合的な知識が必要

　Webライティングとは、パソコンやスマホなどの端末を使い、Webを通して読まれることを前提に文章を執筆することです。たとえば、「メールの書き方」「論文の書き方」「読書感想文の書き方」「本の書き方」がそれぞれ違うように、「Web文章の書き方」のルールがあります。このルールに沿って文章を書き、ユーザーにとって読みやすくわかりやすい文章を書く技術のことをWebライティングスキルといいます。

　では、Webライティングのルールの例を具体的に解説していきます。

1. 文章校正はSDS法 or PREP法

　学校で習ってきた文章の書き方というと「起承転結」という文章構成があると思います。しかし、Webライティングの文章構成は基本的にSDS法とPREP法で構成されています。

SDS 法とは	**PREP 法とは**
・S=Summary（要約）	・P = Point（結論）
・D = Details（詳細）	・R = Reason（理由）
・S= Summary（要約）	・E = Example（具体例）
	・P = Point（結論）

　どちらも最初に結論を書き、その理由や具体例などの詳細を述べたあとにもう一度結論を書くという構成になっていることがわかります。これは、文章を読む目的の違いによるものです。

　Web上であなたが文章を読むときを思い浮かべてください。「何かを知りたい・解決したい」と思ったときにWebを開き、検索して、Web上の文章を読みませんか？

　Webライティングにおいては、物語のような起承転結は不要で、答えを最初に述べることが鉄則です。

2.ユーザーが読みやすい文章にする

　ユーザーが読みやすいと感じる文章を作るためにはいくつかのテクニックがありますので紹介します。

・1文は40文字以内

　40文字というのは、もっとも簡潔に文章の内容が伝わる文字数といわれています。新

聞の社説なども40文字前後になっていることが多く、エントリーシートなども40文字で書くとよいといわれています。

・箇条書きや表を使って要点をまとめる

文章ばかりのページは、読むのに疲れてしまいます。文章で表現すると長くなってしまう内容でも、箇条書きにすればすっきりとした見た目になり、読みやすくなります。箇条書きや表をうまく使って要点をまとめましょう。

・画像や装飾を使って飽きさせない

基本的にWeb上の文章というものはななめ読みをしていることがほとんどで、全文は読んでもらえません。画像や装飾をうまく使って目に留めてもらえるようにしましょう。

・目次だけで内容がわかるようにする

目次の内容を見ただけで、そのページに何が書かれているのかわかるようになっていることが理想です。そのために、まずは文章の構成を考え、目次を書き出していくことがポイントです。

・難しい言葉は使わない

できる限り専門用語などの難しい言葉は使わないようにしましょう。もし、専門用語を使う場合は語句の解説を入れるようにしましょう。

・文末を繰り返さない

文章の語尾は繰り返さないようにしましょう。「～です。」「～です。」と文末に同じ語尾が続く文章は読みにくいため、できるだけ避けるべきです。文末が繰り返された文章は拙い印象になります。

3．SEOを意識したライティング

SEOとは、Search Engine Optimizationの略で検索エンジン最適化のことで、Webライティングにおいては非常に重要な要素ともいえます。SEOは基本的にGoogleの検索エンジンに対して行うもので、インターネット検索結果でWebサイトを上位表示させるためのテクニックが必要です。これをSEOライティングといいます。

SEOを知るためには、まず、検索エンジンがどのようなしくみになっているのかを知ることからはじめる必要があります。

⬛ Googleの検索エンジンのしくみ

　検索エンジンとは、ユーザーが情報を探すためのシステムで、ユーザーが求めている情報に近いものを探して提示することが役割です。そのため、よりユーザーが求めていると思われる情報を上位に表示させるようなしくみになっています。必要な情報が出てこなければ、誰もその検索エンジンを使わなくなってしまうからです。では、「ユーザーが求めている情報」をどのように判断しているのでしょうか？　世界中には何千・何万というWebページが存在します。それを1つ1つ確認していくのは不可能です。そこでクローラーと呼ばれる巡回ロボットが世界中のページを確認し、情報を読み取っています。つまり、このクローラーが理解できるようにページを作る必要があるのです。

　SEOは奥が深く、これをすればよいという絶対的な正解はありません。しかし、検索順位が高くなるためのコツはいくつか存在することも事実ですので、その一部を紹介します。

・適度なキーワードを使う

　検索エンジンを使うときに、検索ワードを入力しますが、SEOの世界ではこの検索ワードのことをキーワードといいます。キーワードをタイトル、見出し、本文に適度に使っていくことがポイントです。中でもタイトルと見出しは重要でできるだけ、キーワードを前方に入れるべきとされています。

・オリジナリティを高める

　SEO対策の1つに、ページのオリジナリティを高めることが有効とされています。体験談など、そのページでしか得られない情報はユーザーにとって有益な情報になるからです。検索結果でまったく同じような情報がずらっと並んでしまい必要な情報が見つからない検索エンジンでは、ユーザーの要望に応えられません。そのため他サイトのコピーや似たような情報が書かれているページの順位を落とす傾向にありますので、オリジナリティを高めることがポイントです。

　Webライティングスキルがあると、Webライターとしても活躍することができます。Webライターも人気副業の1つです。クラウトソーシングサイトにもWebライター案件がたくさんありますので、覗いてみるのもよいかもしれませんね。

Column

Webマーケティングスキルとは

マーケティングという言葉はご存じの方も多いのではないでしょうか？　言葉の意味は「サービスの販売促進するための活用」「市場調査をして販売方法を決める活動」という意味があります。Webマーケティングとは、これらの活動をWeb上で行うことです。Webサイトは作成しただけで終わりではありません。Webサイトのそもそもの目的は、Webページを見てユーザーにアクション（購入など）を起こしてもらうことにあります。そのため、Web制作をするにあたってはWebマーケティングスキルは非常に需要なスキルといえます。Webマーケティングの具体的な活動は、大きく「集客施策」「接客施策」「再来訪施策」「効果測定」に分けられます。

集客施策	Webサイトにユーザーを集めるための施策	・SNSの活用 ・Web上の広告（リスティング広告 / アドネットワーク広告） ・SEOコンテンツ施策など
接客施策	ユーザーに特定のアクション（購買・資料請求・問い合わせなど）をしてもらうための施策	・Web接客ツール （チャットができたり・クーポンが発行できたりするようなツール） ・LPO（LPのパフォーマンスを向上させるような施策）
再来訪施策	ユーザーとの関係を保つための施策	・メルマガやLINE公式アカウント
効果測定	各施策の効果を分析し改善する施策	・アクセス解析

これらの施策は、これまでのオフライン広告活動より低コストで高い効果を期待できるということでWebマーケティングに力を入れる企業が増えてきており、Webマーケティングスキルの需要は高まる一方です。実際に2020年の日本の広告費によると、インターネット広告媒体費が28.5%ともっとも多くなっており、テレビ、新聞、雑誌、ラジオのマスコミ4媒体に迫る勢いです（出典：電通「2020年日本の広告費」）。Webマーケティングスキルは、プログラミングスキルと並ぶ一生モノのスキルといえるでしょう。

第 5 章

その他のプログラミング副業にも挑戦しよう

Section

33

Excel VBAツール
開発で稼ごう

🔑 Excel VBA

🔑 学習方法

Excelの利用者は多いためVBAによる自動化ツールの需要は多くあります。Excel VBAは簡易的なプログラミング言語のため、フリーランスは難しくても副業としては十分成り立ちます。

✏ Excel VBAで収益を得よう

　第4章ではプログラミング副業の中ではもっともメジャーなWeb制作について詳しく解説してきましたが、本章ではWeb制作以外のプログラミング副業についても解説していきます。とりわけこれからプログラミングに挑戦してみよう！　という文系初心者の方でも取り組むことができるものを挙げました。

　まず、はじめに紹介するのは、Excel VBAツール開発（P.23参照）です。

　文系の方でもExcelになじみのある方は多いのではないでしょうか？　むしろ会社に入ると、文系の事務職場のほうがExcelを使う機会は多いはずです。Excel VBAを習得できれば副業でも本業でも使えてWin-Winなはずなのですが、事務職場でVBAを使いこなせる人は少ないのが現状です（実際に著者の職場でもVBAが書ける人は著者のみです）。

　その原因は日本の教育に問題があるとも思っています。少なくとも著者は文系の経済学部出身ですが、大学でExcel VBAについて学ぶ機会は一切なく、むしろ就職してはじめてExcelに触れたレベルでした。また、新入社員研修でOfficeソフトの基礎研修はありましたが、本当に基礎の基礎しか教わらず、当然Excel VBAのカリキュラムなどありませんでした。しかしその後プログラミングに興味を持ち、Excel VBAを独学で習得するに至り（習得した方法はP.116にて詳しく解説）、今では社内のあらゆる部署からVBA開発を依頼されるようになりました。そこではじめてVBA開発の需要の高さを認識し、副業にも活かせるのではないかと、クラウドソーシングサイトを開くと、多くの開発依頼案件があることを知りました。

　クラウドソーシングでの案件の相場の例は次のようになっています。

⊙Excel VBAツール開発依頼の一例

Excel マクロで 2 種類のツール作成

Excel マクロ作成・VBA 開発／卸売・小売

`プロジェクト` 50,000 円〜 100,000 円／固定

注文データ CSV からオーダーデータを作成する Excel マクロ作成

Excel マクロ作成・VBA 開発

`プロジェクト` 50,000 円〜 100,000 円／固定

Excel でのマクロ作成（入金リストから領収書印刷）

Excel マクロ作成・VBA 開発／食品・飲食・たばこ

`プロジェクト` 20,000 円〜 30,000 円

Excel VBA で EC カート管理画面から CSV のダウンロードプログラム開発

Excel マクロ作成・VBA 開発／新聞・雑誌・出版

`プロジェクト` 60, 000 円〜 70,000 円

Excel シートでのマクロ作成（データおよび画像配置）

Excel マクロ作成・VBA 開発

`プロジェクト` 50,000 円〜 100,000 円／固定

コピーやテキストファイル内文字列置き換えをする Excel VBA 作成

Excel マクロ作成・VBA 開発

`プロジェクト` 6,000 円〜 7,000 円

　ファイルコピーやテキストの書き換えなどのかんたんな案件から、本格的なプログラム開発まで案件幅はさまざまですが、多くの案件登録があることがわかります。かんたんな案件であれば月に7 〜 8件、工数のかかる案件であれば月に2 〜 3件受注することで月10万円を稼ぐことは可能です。Excel VBA開発だけでフリーランスは難しくても副業としては十分成り立ちます。

　Excel VBAは簡易的なプログラミング言語のため、VBAで作成するツールにはメリットとデメリットがあります。

メリット	デメリット
①開発環境のハードルが低く Excel が入ったパソコンがあれば無料ではじめられる ②本業でも活用が可能 （本業の仕事を VBA で効率化できれば、副業に充てられる時間も増えて一石二鳥） ③ Excel 自体になじみがあり運用しやすい	① Excel のバージョン変更により使えなくなる場合もある （VBA コードの書き方によっては 5 年前後でバージョンアップ対応が必要になる可能性がある） ②複数人で同時作業ができない ③大量のデータは処理できない

 著者がExcel VBAを独学で習得した方法

　冒頭でも触れましたが、著者は文系出身で入社以来事務職場に勤務しており、これまでIT知識やプログラミングを体系的に学んだことはありませんでした。それでも0から独学でExcel VBAを習得することができました。しかし習得に至るまでに実は一度Excel VBA学習に挫折をしています。今回はその経験も踏まえ、初心者がもっとも近道でExcel VBAを習得する方法について解説します。

■ マクロの記録から入ると挫折する

　Excel VBAという言葉を知らなくても、「Excelマクロ」という言葉を知っている人は多いはずです。事実、Excel VBAと検索すると「とりあえず、マクロの記録をやってみよう!」という情報が多く、マクロの記録で自動生成されたVBAコードを修正して作っていく方法が解説されています。実際、マクロの記録だけでも相当な時間短縮、効率化ができるケースはあります。しかし、これを行うと「Excel VBAとは、こうやってマクロの記録しながら使うんだ」という勘違いをしてしまい、Excel VBA本当の意味で理解できないまま終わってしまうのです。

　さらに、マクロの記録では汎用性を持たすことができなため、実務レベルでは使えません。たとえば、よくある単純作業として「フォルダ内にあるファイルすべてに同じ処理を行っていきたい!」と思ったとき、マクロの記録ではこれができません。実務レベルで使えないと、その学習意欲もなくなってしまい結果的に挫折してしまうのです。

近道は実務ツールを1から解説してもらうこと

Excel VBAを最短で習得するためには、人が書いた実務用マクロコードを1から解説してもらうことがいちばんの近道です。その際、そのVBAが行っている作業の流れがしっかり頭に入った状態で、解説してもらうことがポイントです。VBAコードを読んでいると、「一体これは何の作業をしているのか？」と迷子になりがちだからです。

また、できれば文系出身者に解説してもらうほうがベターです。理系SEが書くプログラムコードは洗練され過ぎて（コードが簡略化）いて、初心者には理解不能であることがあります。もちろんコードは洗練されているほうがプログラムとしては優秀なのですが、知識0からの勉強には不向きです。

また、理系と文系ではそもそもプログラミングに対する基礎知識が違い過ぎて、何を解説されているのかまったくわからないということがあります。

実際に1からコードを書いてみること

実務ツールを1から解説してもらい、VBAコードが理解できるようになったら実際にコードを書いてみましょう。「理解している」と「実際にできる」はイコールではありません。とにかく手を動かしてトライ&エラーを繰り返していきましょう。

プログラミングにおいては、エラーを出せば出しただけ経験値となり、スキルが身に付いていきます。

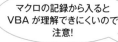

マクロの記録から入ると
VBA が理解できにくいので
注意!

文系の人に 1 から
実務ツールを解説してもらったら、
実際にコードを 1 から書いてみる!

 文系こそExcel VBAを学んでほしい理由

本書を読んでいる方の多くは文系出身者の人が多いと思います。文系の人こそExcel VBAを学ぶべきだと思っています。その理由は、Excelをもっとも使う職種が文系（事務系）だからです。事務職場で働いていると、毎日のようにExcelを使います。毎日使うツールなのに、効率化をしない理由はないはずです。本書の付録に明日から使えるExcel VBAコードと解説があります。ぜひ活用してみてください。

第5章 その他のプログラミング副業にも挑戦しよう

Webスクレイピング案件で稼ごう

🔑 Python

🔑 Webスクレイピング

Webスクレイピングは、さまざまなプログラミング言語で行うことができますが、Pythonを使ったWebスクレイピングを紹介します。環境構築からコードも紹介しますので実際に触れてみましょう。

✒ Webスクレイピングとは

　Webスクレイピングとは、Webサイトから必要な情報を取得する技術のことで、Web上の情報を収集する際に利用します。おもに他サイトから自分が必要としている情報だけを抽出して、データベースを作成していくようなときに利用します。

　WebスクレイピングはExcel VBAでも実装できますし、多くのプログラミング言語でも同様のことは実現できるのですが、今回はPythonを使ったWebスクレイピングにフォーカスして解説します。Pythonの場合、Webスクレイピングを実現するために必要なライブラリや書籍などが豊富なため、よりかんたんに実装できるからです。

　Pythonを使ったスクレイピングの案件の相場は下記のようになっています。

⊙Webスプレイピング依頼の一例

Python：顧客情報のスクレイピング（分析ツールの開発） Web システム開発・プログラミング／ IT・通信・インターネット プロジェクト　50,000 円〜 60,000 円
Python：ウェブアプリケーションでスクレイピング Web システム開発・プログラミング／ IT・通信・インターネット プロジェクト　20,000 円〜 50,000 円／固定
Python：ウェブアプリケーションでスクレイピング Web システム開発・プログラミング／ IT・通信・インターネット プロジェクト　10,000 円〜 20,000 円
Google Maps からのデータ収集プログラム Web システム開発・プログラミング／ IT・通信・インターネット プロジェクト　20,000 円〜 50,000 円／固定

Yahoo! ショッピングの商品情報取得（スクレイピングまたは API）

Web システム開発・プログラミング／ IT・通信・インターネット

| プロジェクト | 10,000 円〜 20,000 円／固定 |

　案件単価は2万〜 5万円程度でそこまで高単価ではありませんが、スクレイピングのプログラムを一度作ってしまいさえすれば、それを流用して作成も可能なため、トータル作業で見ると意外とお得です。月に3 〜 4件受注できれば月10万円は可能です。

Webスクレイピングをやってみよう

では、実際にPythonでWebスクレイピングをしてみたいと思います。

手順１：Pythonをインストールしよう

　Pythonははじめからパソコンに入っているわけでないので、開発環境を整えるためにPythonをインストールする必要があります。公式サイト（https://www.python.org/）からもインストーラーをダウンロードできますが、Pythonの標準の黒い画面（Python インタプリタという）ではコードの保存ができません。そこでAnacondaというPythonの必要機能がパッケージになっているものを使って進めていきます。

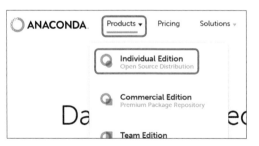

■ Anacondaの公式サイト（https://www.anaconda.com/）にアクセスし、＜Products＞から＜Individual Edition＞を選択します。

② いちばん下までスクロールしていくと、OS別のインストーラーがあるので、OSにあったインストーラーをダウンロードします。

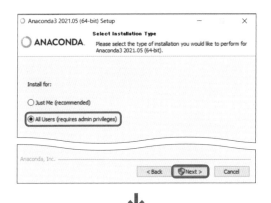

3 ダウンロードしたものを解凍し、「Anaconda3-2021.05-Windows-x86_64.exe」をダブルクリックします（バージョンによってファイル名は異なります）。「All Users(requires admin privileges)」を選択して＜Next＞をクリックします。

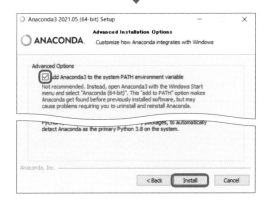

4 「Add Anaconda3 to the system PATH environment variable」を選択して＜Install＞をクリックすると、インストールがはじまります。

手順2：Pythonを起動してみよう

インストールしたPythonを立ち上げてみましょう。

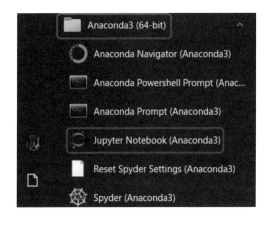

1 スタートメニューの「Anaconda3」フォルダから＜Jupyter Notebook（Anaconda3）＞をクリックします。

2 黒い画面が表示されます。しばらく待つと、「Jupyter Notebook」の画面が起動されます。右側の＜New＞→＜Python 3＞の順にクリックすると、Pythonのコード入力画面が表示されます。

3 「セル」と呼ばれる入力スペースにPythonコード「print（'Hello Python!'）」を入力し、＜実行＞をクリックして（もしくはキーボードの Shift ＋ Enter キーを押して）実行します。「Hello Python!」と表示されれば、問題なくインストールされています。

※ 「Jupyter Notebook」を終了させたい場合は、＜閉じる＞をクリックして、キーボードの Ctrl ＋ C キーを押します。

手順3：コードを書いてみよう

　今回紹介するのは、Requestsというライブラリを使ってWebページを取得し、Beautiful Soupを使ってHTMLを抽出するという方法になります。いきなり難しそうな単語が出てきましたね。

　RequestsやBeautiful Soupというのは、ライブラリと呼ばれる、プログラムがパッケージ化されたものを指します。つまりRequestsというものを使うと、Webページを取得するというプログラムが実行できるというわけです。

　では、実際のコードを見ながら解説していきます。

Requests(Webページの情報を取得できる)を使うよ!
bs4(取得したURL内のHTML要素を操作できる)というに含まれる「BeautifulSoup」という部品のみ使うよ!

url はこのページを指定するよ!
Requestsを使ってWebページ情報を取得するよ!BeautifulSoupを使って解析するよ!
解析した情報をもとにタイトルをitemということにするよ!

```
import requests
from bs4 import BeautifulSoup
```

```
url="https://gihyo.jp/dp"
html=requests.get(url)
soup=BeautifulSoup(html.text,'html.parser')
items=soup.find_all("p", class_="title")
```

```
for item in items:
    print(item.text)
    print('-'*30)
```

取得したitemの情報の商品名と価格を順番に書き出していくよ!

実行結果を見るとわかるけど、見やすいように仕切り線を入れているんだよ!

手順4：実行してみよう

上記のコードを実行してみると、下記のような結果が表示されます。

```
------------------------------
今すぐ使えるかんたん 今すぐ使えるかんたんZoom&Microsoft Teamsがこれ1冊でマスターできる本
------------------------------
パーフェクト パーフェクトC# [改訂4版]
------------------------------
仕事の現場で即使える Excel&Access 連携実践ガイド～仕事の現場で即使える [増補改訂版]
------------------------------
パーフェクトガイド Premiere Proパーフェクトガイド [改訂2版]
------------------------------
作って覚える SOLIDWORKSの一番わかりやすい本 [改訂2版]
------------------------------
不動産投資の税金を最適化 「減価償却」節税バイブル
------------------------------
機械学習がわかる統計学入門
------------------------------
今すぐ使えるかんたんmini PLUS 今すぐ使えるかんたんmini PLUSExcel関数 組み合わせ 超事典
------------------------------
ゼロからはじめる ゼロからはじめるau Galaxy S21 5G／S21+ 5G SCG09／SCG10 スマートガイド
------------------------------
Autodesk Revitではじめる BIM実践入門 Autodesk Revit & Revit LT 2022/2021対応版
------------------------------
生物ミステリー （生物ミステリー プロ） ゼロから楽しむ 古生物 姿かたちの移り変わり
------------------------------
今すぐ使えるかんたん 今すぐ使えるかんたんWi-Fi&自宅LAN 完全ガイドブック 困った解決&便利技
------------------------------
たった1日で基本が身に付く！ たった1日で基本が身に付く！Androidアプリ開発超入門 [改訂2版]
------------------------------
今すぐ使えるかんたん 今すぐ使えるかんたんGmail入門 [改訂3版]
------------------------------
```

Webスクレイピングを行う場合の注意点

　Webスクレイピングはデータ収集を行う上でとても強力な手段ですが、注意しなければならない点がいくつかあります。

データ取得先のサーバーへの過度な負荷をかけないこと

　Webスクレイピングはプログラムが自動で実行するという性質上、人間には不可能な大量のリクエストをデータの取得先に送信することができてしまいます。しかし、短時間に大量のリクエストを送信することは、取得先のサーバーの処理を遅延させ、場合によってはサーバーをダウンさせるなどの損失を与えてしまいます。

利用規約を守ること

　Webサイトによっては、明確にスクレイピングすることを禁止しているものも存在します。利用規約ではスクレイピングが禁止されているにもかかわらず、スクレイピングを行ってしまうと、利用規約違反となり、民事上の損害賠償請求に発展する可能性もあります（実際に裁判に発展した事例もあります）。スクレイピングする際には、十分に取得先のWebサイトの利用規約を確認するようにしましょう。

著作権法を守ること

　Webスクレイピングの対象となる情報に著作権が生じている場合、活用方法を誤ると著作権法違反となりますので注意が必要です。他社などのWebサイトから情報を取得しますので、スクレイピングにより情報をコピーしたり保存したりするには、著作権者である他社の同意を得なければならず、同意がない場合には原則として著作権法に違法してしまいます。そのため、どのような利用目的でスクレイピングを行うかということをきちんと確認しておく必要があります。なお、著作権法は、あくまで「情報解析」のみを目的としている場合に限っては、著作権者の同意を受ける必要はないということになっています。

> **スクレイピングとクローリングの違い**
>
> スクレイピングに似た機能でクローリングがあります。クローリングは巡回したWebサイトからすべての情報を取得します。一方スクレイピングはクローリングで取得した情報の一部分を抽出することができるため、必要な情報のみに特化したい場合にはスクレイピングが効果的です。

Section

35 Webフォーム開発で稼ごう

WebフォームはPHPなどのサーバーサイド言語で作成します。フォーム開発だけでは大きく稼げませんが、一度作成すればカスタマイズは比較的かんたんで、多くの案件にチャレンジできます。

Webフォーム開発で収益を得よう

　Webフォームとは、問い合わせフォームや予約フォーム・申し込みフォームといった、入力された情報をサーバーに送り、必要な処理をするプログラムのことです。これらのフォームはPHPなどのサーバーサイドのプログラミング言語を利用することで作成できますが、プログラミング知識がなくてもかんたんに問い合わせフォームを設置できる便利なツールもあります。

※Web制作で利益が出る場合のツールの使用については、P.103のMemoも参照してください。

◯ Webフォームの作り方は3種類

①HTML/CSS/PHPを用いて1から作成する

　プログラミングを用いて1からフォームを作成すれば、自由にカスタマイズができます。デザインの見た目もですが、入力項目を増やしたり、必要な機能を付けたりすることができます。仮に1から作成できなくても、無料のPHPフォームのソースがWeb上にありますので、それを活用してカスタマイズできる程度の知識があれば作成は可能です。

　おすすめは、PHP工房（https://www.php-factory.net/mail/01.php）のPHP多機能メールフォームです。必要な機能はすべて揃っており、サーバー環境を問わず利用でき、ファイル構成もシンプルで非常に使い勝手のよいプログラムです。

PHP工房　URL https://www.php-factory.net/

第5章　その他のプログラミング副業にも挑戦しよう

②WordPressの場合はプラグインを使う

WebサイトがWordPressで作られている場合、フォーム一式がプラグインとして用意されているので、プログラミングの知識がなくてもかんたんにフォームを設置することができます。代表的なプラグインとしては、「Contact Form 7」が有名です。Contact Form 7の設置手順は以下の通りです。

Contact Form 7 の設置手順

1. プラグイン＞新規追加＞「Contact Form 7」と検索
2. 今すぐインストールをクリック
3. 有効化をクリック
4. WordPress の「お問い合わせ」をクリックし、コンタクトフォームの設置画面を開く
5. ショートコードをコピーし、記事本文にショートコードを貼り付ける

③フォーム作成ツールを利用する

HTMLでサイトを作成しているが、PHPの知識はない！ という方は、フォーム作成ツールを利用するのも1つの手です。フォーム作成ツールを使うと、初心者でもかんたんにフォームを作成・設置できるうえ、自動集計やフォームのメンテナンスも手軽に行うことができます。フォーム作成ツールには無料版と有料版がありますが、無料でもハイクオリティなツールが数多くあります。代表的なツールには「formrun（フォームラン）」や「formzu（フォームズ）」などがあります。また、Googleフォームを使うという方法もあります。今回はformzuの設置方法についてかんたんに解説しておきます。

1 トップページ（https://www.formzu.com/）のメールアドレス入力欄に自分のメールアドレスを入力し、＜メールフォームを作る＞をクリックします。

2 パスワードを2回入力し、＜同意して進む＞をクリックします。

3 formzuの作成画面はこのような感じです。感覚的に操作ができますし、色もワンタッチで変更できます。

4 必要な項目やデザインを設定したら、左下の＜フォーム保存＞をクリックし、保存完了画面にある「フォームID」を必ず控えておき、自動振り分けURLをコピーします。

5 トップページに戻り、＜設置方法＞→＜設置方法＞の順にクリックします。

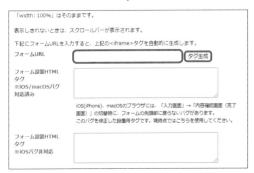

6 画面中ほどにある「フォーム設置タグ作成」画面に、先ほどのURLを貼り付け、＜タグ作成＞をクリックします。作成されたフォーム設置タグを、ホームページに設置すれば完了です。

このような無料フォームの場合だと、メールフォームの下に「このフォームは○○を使って作成されました」という広告表示が入ったり、項目数は12個までなどの機能に一部制限があったりしますので、本格的なフォームを作成したい場合には向きませんが、問い合わせフォームがあればなんでもよい！　という場合には非常に便利です。

フォーム開発案件例

　上記のような方法で、フォーム作成に慣れていけば、下記のようなフォーム開発案件にも挑戦することができます。単価はそこまで高くありませんが、一度基礎になるフォームを作成できてしまえば、それを流用して構築が可能です。

◉**Webフォーム開発依頼の一例**

　フォーム開発案件には以下のような案件があります。

簡易認証とシンプルフォームの開発

Web システム開発・プログラミング／卸売・小売

`プロジェクト` 20,000 円〜 50,000 円／固定

自社サイト内お問合せフォーム・自動入力送信ツールの作成

ソフトウェア・業務システム開発／ IT・通信・インターネット

`プロジェクト` 90,000 円〜 100,000 円／固定

お問合せフォーム（画像送信機能付き）サイトの開発

Web システム開発・プログラミング／食品・飲食・たばこ

`プロジェクト` 1,000,000 円〜 3,000,000 円／固定

　フォーム開発単体で月10万円を稼ぐには案件数を多くこなす必要がありますが、Web制作受注と組み合わせることで稼ぐ方法もあります。

　たとえば、「フォーム開発も可能」というオプションを付けることで、Web制作の受注率をUPできれば結果的に月10万円になるでしょう。

ECサイト運用ツール
開発で稼ごう

ECサイト運用ツールには大きく分けて市場調査、仕入れ、出品ツールがあります。近年の副業ブームを受け個人でもECサイトを運用する人が増え、需要は高まりつつあります。

🔑 ECサイト

🔑 運用ツール

✏️ ECサイト運用ツールとは

　ECサイトとは、商品やサービスをインターネット上で販売することができるネットショッピングサイトです。ECサイトを運用していくためには、商品管理や登録、在庫管理・情報更新、発送業務・売上管理、問い合わせ対応など、さまざまな業務があります。数件の取引であれば問題ありませんが、1日に何件も取引があるとすべてを手作業で行うには膨大な時間がかかります。そこでその作業の一部を自動化してくれるのがECサイト運用ツールです。

　また、近年の副業ブームを受けて個人でもECサイトを運用し、いわゆる「せどり」を行う人が増えてきました。せどりの基本は、安く仕入れて高く売ることで利益を得ることです。そのためには、安い商品情報をいち早くキャッチし、転売によって利益が出るのかを判断し、ネットに出品するという作業が発生します。このように企業だけでなく個人にも、ECサイト運用ツールの需要が高まっているのです。

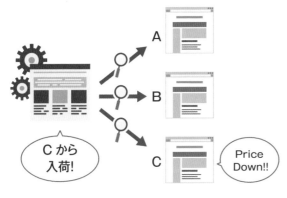

◀ さまざまなECサイトを自動チェックし、安値の商品があればそれを仕入れて出品する「ECサイト運用ツール」もある

第**5**章 その他のプログラミング副業にも挑戦しよう

ECサイト運用ツール開発で収益を得よう

　ECサイト運用ツール開発として、実際にクラウトソーシングサイトに登録されている案件を見てみましょう。

◉ECサイト運用ツール制作依頼の一例

Amazon の自動購入ツール開発

Windows アプリケーション開発／食品・飲料・たばこ

プロジェクト　20,000 円〜 50,000 円／固定

Amazon 販売商品を他社 EC サイトに移行するツールの作成

Web システム開発・プログラミング／卸売・小売

プロジェクト　20,000 円〜 50,000 円／固定

海外アパレル EC サイト用出品管理ツール開発

Web システム開発・プログラミング／ IT・通信・インターネット

プロジェクト　10,000 円〜 20,000 円／固定

EC サイト注文ページから購入者へメール自動送信ツールの作成

EC サイト運用ツール開発／ IT・通信・インターネット

プロジェクト　5,000 円〜 10,000 円／固定

出品完全自動ツールの開発

Web システム開発・プログラミング／ IT・通信・インターネット

プロジェクト　300,000 円〜 500,000 円／固定

　ECサイト運用ツールには大きく分けて市場調査ツール、仕入れツール、出品ツールの3種類がありますが、ツール開発の内容によって価格はさまざまです。ECサイト運用ツールは無料ツールが既にたくさん出回っているため、一般的な機能だけでなく、痒いところに手が届くような機能を有するツールを作成する必要があります。しかし一度ツールを開発してしまえば、別のツールにも応用することができますし、そのツール自体を有料サービスとして販売することができるため、一度開発してしまえば、自分自身の資産として残すこともできます。

サーバー関連で稼ごう

🔑 サーバーの種類

🔑 サーバー関連案件

サーバーを扱うためには幅広い知識と迅速な対応が求められるため、副業では難しい部分があります。しかし、サーバーの引っ越しやSSL化などサーバー関連業務での副業は可能です。

サーバー関連の案件で収益を得よう

　サーバーとは、ネットワークを介して、ほかのコンピュータにサービスや情報を提供するコンピュータのことです。大きなイメージとしては私たちが普段利用しているコンピュータと大差ありません。代表的なサーバーには、Webサーバー、メールサーバー、データベースサーバー、DNSサーバー、FTPサーバー、SSHサーバーなどがあります。

⊙サーバーとは

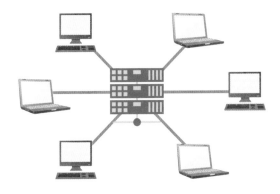

◀ Webサイトや動画サイトの閲覧や更新、メールやデータファイルの送受信、オンラインゲーム、ネットショッピングなどはすべてサーバーによって成り立っている

副業として取り組めるサーバー関連案件とは

サーバー関連の副業は、やや難易度が高いといわれています。その理由は3つあります。

1. そもそもサーバーサイドの知識のハードルが文系初心者には高いから

　プログラミング知識だけでなく、「Windows Server」「Mac OS」「Linux」「UNIX」

といったOSについての深い知識が必要です。また、ネットワーク全体についての知識やセキュリティに対するスキルも求められます。

2. 物理的にサーバーを扱うことが難しいから

　本来、サーバーエンジニアといわれる人たちは、サーバーの構築、保守運用を担いますが、ITの仕事とはいえ現場作業が求められることも多く、遠隔で副業を行うには限界があります。実際にサーバー関連でクラウトソーシングサービスに登録されている案件の多くは常駐型が多いです。

3. サーバートラブル時には迅速な対応が必要だから

　サーバーは基本的に24時間365日動いているため、いつでも対応できる環境でないと難しいです。

　では、文系初心者でも副業として取り組めるサーバー関連はないのかといわれると、そうでもありません。ここでは、SSL化とドメイン移管について紹介します。

◻ SSL化

　SSLとは、SSLとはSecure Sockets Layerの略で、Webサイトとそのサイトを閲覧しているユーザーとサーバー間の通信を暗号化するためのしくみです。わかりやすい部分では、URLが、http://ではなく、https://からはじまっているサイトは、SSL化がされています。

　これまでは「クレジットカード」「個人情報」などを入力するページにのみSSL化をすることが義務付けられていましたが、現在ではすべてのページをセキュアにする「常時SSL化」が求められています。そのため、SSL化をしたいというクライアントは多く、副業としては取り組みやすいです。

◻ ドメイン移管

　ドメインとは、URLなどに使われるインターネット上の住所のようなものです。ドメインには「.com」「.net」「.jp」などさまざまな種類があり、ドメイン管理会社が管理をしています。ドメイン移管とはこの管理会社を乗り換えることを指します。管理会社によってドメインの管理費用は異なるため、できるだけ更新料金が安いドメイン管理会社に乗り換えたい！　という要望にお応えするという内容の副業になります。同様にサーバー会社を乗り換えるサーバー引っ越しの案件などもおすすめです。

38 アプリの開発で稼ごう

🔑 アプリの種類

🔑 アプリ開発案件

アプリ開発は自分で作った作品を世に出してみたいというクリエイター気質の方におすすめです。アプリ開発の場合、アプリ完成後も広告収入で不労所得を得られる可能性も秘めています。

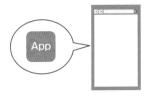 **アプリの種類**

　アプリというとスマートフォンにインストールして使用するイメージが強いかもしれませんが、実はアプリには3種類あります。

⊙ **アプリの種類**

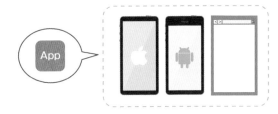

Web アプリ

スマホにインストールする必要がなく、
Web 上で操作することができるアプリ。
使用言語：Ruby や Python など

ネイティブアプリ

アプリ自体をスマートフォンなどに
インストールして、その端末上のみで
操作するアプリ。
使用言語：iPhone アプリは Swift・
Android アプリは Java や C# など

ハイブリッドアプリ

Web 上でもインストールした
端末上でも操作できるアプリ

どの種類のアプリを開発するかによって、適した言語は違いますが、アプリ開発は今回紹介するプログラミングを活用した副業の中ではもっとも高いスキルが必要です（P.29の表も参照）。しかし、アプリ開発の場合は、開発したアプリの販売収入と広告収入を得ることができるため、一度開発してしまえば、定期的に不労収入を得ることも夢ではありません。

アプリの開発で収益を得よう

　アプリ開発の受注案件は高単価な案件が多くあります。たとえば、ニュースアプリを1つ開発したら500万円などの高額案件も多数存在します。しかし、このような本格的なアプリを初心者が副業として制作するには非常にハードルが高く、難しいでしょう。文系初心者が副業として取り組む場合には、クラウドソーシングサイトでの案件受注ではなく、自分や知人向けに単純なゲームやシンプルな機能のアプリ開発を行い、有料アプリとして販売するか、アプリ内で広告を配信して収入を得るほうが現実的です。

　ただ、スマホアプリは大量に販売されており、自分のアプリを見つけて購入もしくはダウンロードしてもらうのは非常に難しくなってきているのが現状です。大きく成功するためには、市場調査やアプリストア最適化（ASO）といったマーケティングにも力を入れないと難しいでしょう。

　しかし、アプリ開発はパソコンさえあれば誰でもチャレンジできるので、リスクがほとんどありません。また開発したアプリは自分の作品として一生残るものになります。クリエイター気質の方や、習得したプログラミングスキルを活かして何か世にリリースしたいという思いのある方は挑戦してみてもよいと思います。アプリ開発によって実績もつくことで、エンジニア転職や独立への道につながることもあると思います。

◉初心者でもアプリ開発ができるツール

Monaca
URL https://ja.monaca.io/

Yappli
URL https://yapp.li/

Section 39 RPA開発で稼ごう

🔑 RPA
🔑 RPAエンジニア

RPAでは事務作業の効率化ができるため、文系の人でも聞いたことがある方はいるかもしれません。成長市場で導入企業は増え続けていますので、知識があると本業でも活用できます。

✏️ RPAとは

RPAとは、Robotic Process Automation（ロボティック・プロセス・オートメーション）の略称で、わかりやすくいうと「人間がコンピュータを操作して行う作業を自動的に行ってくれるソフトウエア」です。たとえばデータの入力・集計、転記作業、経費書類の作成など、処理内容や処理順序が決まった定型業務の自動化をすることができます。

よく、「AI」という言葉を耳にすることがあると思いますが、AIとRPAはまったくの別物です。AIはArtificial Intelligence（アーティフィシャル・インテリジェンス）の略称で「人工知能」といわれていて、ビッグデータとよばれる膨大なデータベースをもとに、コンピュータが自ら判断するしくみです。AIは自己学習機能によって、コンピュータ自身が判断することができますが、RPAでは、決まった手順を繰り返し行う作業の自動化に適していて、教えた作業通りに、ひたすら処理を繰り返していくロボットです。

◉RPAは業務効率を向上させるソフトウェア

◀ RPAを導入し、生産性向上を図る企業が増えてきた

RPAを導入することで、作業時間を短縮したり、ヒューマンエラーを削減したりなどの生産性向上が期待できるため、働き方改革の一環として注目されており多くの企業で導入されはじめています。

MM総研の調査によると2022年度までの導入率は、年商50億円以上の企業で50%、年商50億円未満では28%に達する見込みで、今後も増加の一途を辿ることが予想されています。

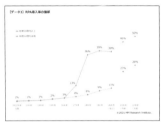

RPAではプログラミングなどの知識がなくてもプログラムを作成することができるツールとして注目されていますが、実はまったくのプログラミング未経験者がかんたんに開発できるかというと、そうではありません。たとえば、変数や条件分岐といったプログラミングの基本的な考え方やInt型、String型といった基礎的なプログラミング知識は必要です。文系出身だと、そもそもプログラミングの基礎知識がないので、誰でもかんたんに開発できるという宣伝文句を鵜呑みにしてしまうと、開発難易度の高さに戸惑うこともあるでしょう。そこで必要とされてくるのが、RPAエンジニアの存在です。

RPAエンジニアに求められるスキル

RPAはプログラムコードを書かなくてもプログラムを作ることができるというだけであって、実際にはプログラム作成の知識や考え方が必要です。

1. 業務フローを整理する力

RPAを作成する際には、業務の手順を実行する順序を考えられる力が必要です。RPAは決められた手順通りに動くロボットです。まず、その手順がきちんと整流化され、正しいフローになっていないとエラーが起きてしまったり、複雑なプログラムができ上がったりしてしまいます。そのため業務フローを整理する力が必要です。これは、RPA作成においてだけではなく、あらゆる仕事に共通して必要な力でもあります。

2.幅広いRPAツールの知識と使い方

実は日本で利用されているRPAツールにはさまざまなものがあります。

これはUiPathというRPAツールのプログラム作成画面です。画面中央部分にアクティビティを並べていくことで、プログラムを作成していきます。使用するRPAツールによってプログラムの作成方法が違うため、それぞれの使い方を学ぶ必要があります。たとえば日本でよく使用されているRPAには、以下のようなツールがあります。

- ・UiPath
- ・BizRobo
- ・WinActor
- ・BluePrism
- ・PegaRPA
- ・Automation Anywhere

クライアントが導入しているRPAツールに応じた知識が求められます。

3.Office（Word・Excel・Accessなど）の知識

RPAではおもに事務作業を効率化するツールを作成することが多いため、事務作業でよく使用されるExcelやAccessなどの理解が必要です。RPAを利用して自動化する作業自体にOffice関連ソフトが使われていることが多いため、そもそもOfficeソフトの知識が必要というわけです。

RPA開発で収益を得よう

RPA開発の案件には、具体的には以下のような事例があります。

◎RPA開発依頼の一例

RPA の開発

ソフトウェア開発・業務システム開発／士業（個人事務所）

プロジェクト 100,000 円～ 200,000 円／固定

RPA 導入のご相談（ログインから印刷までの自動化）

Web システム開発・プログラミング／卸売・小売

プロジェクト 20,000 円～ 50,000 円／固定

RPA で業務自動化ツールの開発、保守（Uipath）

ソフトウェア・業務システム開発／ IT・通信・インターネット

プロジェクト 200,000 円～ 300,000 円

RPA ツールの開発とお見積り

ソフトウェア・業務システム開発／商社

プロジェクト 50,000 円～ 100,000 円／固定

　プログラムの内容によって開発難易度はさまざまで、数万円～数百万円まで幅広い案件が存在します。RPAの歴史はまだ浅く、RPAの平均単価なども大きな幅がありますが、RPAの需要は間違いなく増加傾向にあります。

 RPA で効率化を図る前に……

著者がRPA作成依頼を受けていて感じるのは、「そもそもその作業は必要なのか？」ということです。RPA は業務効率化を図れる便利なツールですが、そもそも不要な作業をロボットにさせても意味がありません。RPA で効率化を図る前に業務自体の見直しを提案することも大切です。

プログラム開発における「要件定義」の重要性

これまで紹介してきたようなプログラム開発を行ううえで、共通するのが「要件定義の重要性」です。要件定義とはクライアントがどのような要望があって、その要望をどのように実現するのかを定義・設計したものです。この要件定義がしっかりできていないと、作業のやり直しが発生してしまったり、要望とは違うものが完成してしまったりします。また、要件定義をクライアントに共有しておくことで、追加仕様や仕様変更などの過剰な要求があった場合にも、追加作業代を請求することもでき、トラブルを避けることにもつながります。

● Webサイト制作における要件定義のポイント

サイト名	
サイトの目的（依頼の目的）	
ドメイン名	取得済の場合ドメイン会社（　　　　　　　　）
サーバー	□新規取得　　　　□取得済（　　　　　　　）
納期（公開予定日）	
予算	
SS L化の必要性	□必要　　　　□不要
スマホ対応デザインの必要性	□必要　　　　□不要　　　　□どちらでもいい
ソーシャルメディア連携の有無	□ F B　　　□ Twitter　　□ YouTube　　□その他
デザイン要望	□イメージカラー（　　　　　　　） □イメージに近いサイト （　　　　　　　　　　　　）
ページ構成	□トップページ（スライドショーあり / なし） □下層ページ数（　　　　ページ程度） ※メニュー名を具体的に 例）ホーム・会社概要・サービス一覧・アクセス・問い合わせ □お問い合わせ画面（あり / なし） □サイトマップ（あり / なし）

第 6 章

月10万円を目指す！
ステップアップ方法

Section **JS** **CSS**

40

単価UPを提示する

🔑 単価UPの交渉

🔑 根拠を示す

月10万円を目指すためには、多くの案件を受注することも大切ですが、単価UPも有効です。しかしいきなりの単価UPは逆効果になることもあるため、慎重に行いましょう。

第
6
章

月
10
万
円
を
目
指
す
！
ス
テ
ッ
プ
ア
ッ
プ
方
法

✒ 単価UPの方法は2パターン

　はじめのうちは案件を受注する際に、どうしても単価を低くせざるを得ません。実績がないため単価を低くすることでしか受注するきっかけがないからです。しかし、ずっと低単価で消耗していては、いつまで経ってもスキルの安売りから抜け出せません。**月10万円を目指すためには、多くの案件を受注することも大切ですが、単価UPを行うことも有効**です。単価UPパターンには2種類あります。

▣ 新規クライアントに対して単価UPした金額を提示していく

　まず1つは、新規クライアントに対して単価UPした金額を提示していく方法です。たとえば受注型のクラウドソーシングサービス（P.74参照）で受注する場合を例に挙げてみましょう。

　はじめは低単価にてサービスを出品していきます。受注型サイトの代表例であるココナラでは、サービスカテゴリごとに最低出品価格が定められているため、最低出品価格で出品します。そこで1件でも受注を取ることができれば、1つ実績が付きます。数件程度同じように最低価格で受注をしていき、ある程度の評価が付いたところで少しずつサービス価格を上げていきます。

　価格を上げて受注をしても、クライアントが満足してくれよい評価をもらえるようであれば、さらに価格を上げていきましょう。サービスの内容に対して価格を上げ過ぎてしまうと、クライアントからよい評価がもらえないため、クライアントの評価を真摯に受け止め、適正価格の上限ギリギリを見極めていきましょう。

▣ すでに取引のある顧客に対して単価UP交渉をし継続受注する

　もう1つの方法は、すでに取引のあるクライアントに単価UP交渉を行い、継続受注をす

る方法です。こちらのほうが難易度は上がり、営業力と交渉力が必要です。また、単価UPを裏付ける確固たるスキルも不可欠です。実力が伴ってないのに単価UP交渉を行うと、逆効果になります。

では、具体的に単価UP交渉にあたって気を付ける点を挙げていきます。

Point1.まずは期待以上の成果を上げる

依頼された仕事に対して、必要最低限の成果しか出していない場合、単価UP交渉は難しいです。

クライアントが単価を上げてもよいと思うような成果を出す必要があります。

たとえばココナラでは、「おひねり（追加支払い）」というしくみがあります。クライアントが発注以上の成果物をもらえたなと思った場合にチップのようなイメージで、正規の金額に上乗せして渡す「こころづけ」のようなものです。これも期待以上の成果だったのかという1つの指標になります。

クライアントの期待値を超えるような成果を上げることをまずは実践しましょう。

Point2.単価UPの根拠を示す

ただ単に、「単価UPしてほしい」といっても説得力がありません。単価UPが必要な根拠をクライアント側にしっかり伝えましょう。たとえば実際の実労働時間を示したり、プログラミングスキルが必要な作業内容についてまとめ、以前より自分のスキルがUPしていることなどを伝えたりするとよいでしょう。

自分の価値をうまく相手に伝える工夫をしましょう。

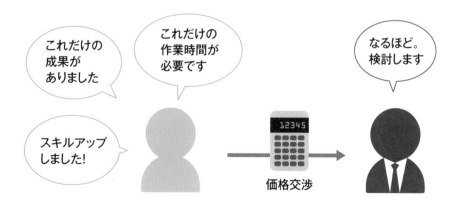

41 関連業務を受注する

プログラミング副業の場合、付随する関連業務が多くあります。たとえばWeb制作であれば、「ロゴ作成」「バナー作成」などです。これを個別受注することでプラスαの収入が期待できます。

関連業務を受注してみよう

プログラミング副業の場合、付随する関連業務が多くあります。たとえばWebサイト制作であれば以下のような関連業務があります。

ロゴ作成	バナー作成
ヘッダー作成	アイコン作成
Web 画像作成	Web サイトの修正・更新
WordPress のカスタマイズ	サイトの保守・トラブル対応
SSL 化	レスポンシブ対応 (スマホ表示対応)
SEO 対策	SNS 連携や運用
問い合わせフォーム設置代行	ブログ連携

Web制作案件と並行して、これらの関連業務も個別単体サービスとして運用することで、常に依頼が絶えない状況を作り出すことができます。では、具体的な関連業務の案件を見てみましょう。

1.ロゴ作成

ロゴは、Webサイトのタイトル部分に使用されることが多く、そのサイトや企業の顔ともいえる重要なパーツです。ロゴ作成はプログラミングスキルというよりは、デザインスキルが求められる仕事になりますが、身に付けておくとより付加価値の高いWeb制作を行うことができます。

◉ロゴ作成依頼の一例

輸入雑貨店のロゴデザイン

ロゴ作成・デザイン／卸売・小売

| コンペ | 55,000 円 |

音楽教室のロゴ作成をお願いします

ロゴ作成・デザイン／ 資格・習い事

| コンペ | 59,400 円 |

不動産関連会社のブランドロゴ

ロゴ作成・デザイン／住宅・不動産

| コンペ | 130,000 円 |

法人向けスマートフォンアプリのイメージロゴ

ロゴ作成・デザイン／ IT・通信・インターネット

| コンペ | 55,000 円 |

新規開業カフェの店舗ロゴ作成

ロゴ作成・デザイン／食品・飲料・たばこ

| コンペ | 113,000 円 |

京都の老舗惣菜店リニューアルロゴの制作依頼

ロゴ作成・デザイン／卸売・小売

| コンペ | 92,000 円 |

　提案型のクラウドソーシングサイトの場合、ロゴ作成はコンペ形式（P.61参照）で実施されることが多いです。ロゴ作成の単価は5万円から程度で、高額なものでは10万円を超えるものもあります。ただしコンペ形式の場合は、ライバルよりもよい提案をし、クライアントが自分の作品を選んでくれなければ報酬が一切発生しません。つまり、コンペに応募するためにロゴ作成にかかった時間は実質赤字となります。

　一方、受注型のクラウドソーシングサイトの場合であれば、ロゴ作成の単価は1万円から2万円程度と単価自体は下がりますが、依頼が入れば確実に報酬を受け取ることができます。

　もちろん、受注型であっても依頼は入らなければ報酬は発生しないわけですが、少なくとも作り損ということにはなりません。

　ヘッダーやバナーはWebサイトの印象を大きく左右する重要なパーツです。ヘッダー・バナー作成単体の依頼も存在します。

　ヘッダー・バナー作成の場合も、ロゴ作成と同様に、提案型のクラウドーソーシングサービスの場合はコンペ形式が多く、単価は2万円から5万円と割と高単価です。受注型のクラウドソーシングサイトであれば数千円程度の単価になりますので、ヘッダーやバナーだけで月10万円を目指すのは少し難しいですが、バナー作成のコツをつかみ、効率的に作業をすることができれば、他案件の合間にプラスαとして稼ぐことも十分に可能です。

◉ バナー作成依頼の相場の一例

スポーツショップの Facebook & Instagram バナー
ロゴ作成・デザイン／卸売・小売
コンペ　11,000 円

弊社 Amazon、楽天市場等 EC モール用画像・バナー作成作業
データ閲覧・検索・登録／ IT・通信・インターネット
プロジェクト　5,000 円〜 10,000 円／固定

育児グッズ販売サイトに掲載するバナー作成
バナー作成・デザイン／卸売・小売
プロジェクト　20,000 円〜 50,000 円／固定

◉ バナー作成にあたって参考になるデザインサイト

　レトロバナー（https://retrobanner.net/）

　バナーデザイン・サンプルデータベース（http://aka-design.sub.jp/bd/）

　バナーデザインアーカイブ（http://banner.keizine.net/）

　バナーデザインギャラリー（http://www.banner-design-gallery.com/）

　バナーデザインまとめ。（http://bannermatome.com/）

◻ 3.Webサイトの修正・更新

　Webサイト制作を1から受注できなくても、既存サイトの修正や更新作業のみを受注することもできます。

⊙Webサイトの修正更新依頼の相場の一例

公開中 Web サイト内のサイズ表記の修正 ホームページ更新・運営代行／マスコミ・メディア `プロジェクト` 20,000 円〜 50,000 円／固定
楽天市場出店ページの軽微な更新・修正作業 ホームページ更新・運営代行／ IT・通信・インターネット `プロジェクト` 10,000 円〜 20,000 円
地域交流 Web サイトの更新作業（月 8 件程度） ホームページ更新・運営代行／マスコミ・メディア `プロジェクト` 10,000 円〜 20,000 円／固定

　修正の内容や更新の頻度によって価格は数千円から数万円のものまでさまざまです。Webサイトの修正を行う場合、他人が作成したサイトを修正することがあるので、サイトの作り方がどのようになっているのか解読する力が必要です。その点1から自分で作成するよりも幅広いプログラミングスキルが求められる場合もあります。はじめは、既存の画像の置き換えや文字の書き換えだけなどの軽微な作業で試してみるのがよいでしょう。

◻ 4.SNS連携や運用

　現在は、Webサイトだけによる発信では不十分で、SNS連携は必須といえるでしょう。実際に多くのWebサイトでTwitterやFacebook、InstagramといったSNSが埋め込み、もしくはリンクされています。Webサイト上にSNSを埋め込んでほしいという依頼を受けることも1つの関連業務としてありますが、「SNS運用代行」という形で、SNSマーケティング自体を請け負う副業もあります。SNS運用代行は、おもに依頼者の要望に沿ったPR活動を継続的に行っていく仕事になりますので、初心者でも取り組みやすいです。アカウントを1カ月運用するだけで10,000円程度稼ぐことができます。SNS運用には、明確な正解があるわけではありませんので、トライ&エラーでデータ分析を繰り返していきます。つまり稼ぎながらSNSを勉強することもでききます。もし仮に自分でサービスをはじめるときやフリーランスになったときに、使える強いスキルの1つにもなりますのでコツコツと継続的に作業をすることができる方にはおすすめです。

42 定額メンテナンス契約を獲得する

🔑 保守契約

🔑 契約方法

プログラミングツールは納品後運用していくため、定額メンテナンス契約（保守契約）を結ぶことあります。保守契約があると収入が安定し、顧客とのつながりを持ち続けることが可能です。

✏️ 定額メンテナンス契約とは

定額メンテナンス契約とはいわゆる「保守契約」のことです。

Webサイトやプログラミングツール・アプリなどは作成して終わりというわけではありません。その後、クライアントが実際に運用していくことではじめて効果が発揮されます。しかし、運用していく中で、「少し内容を変更したい」「誤って操作をしてしまいうまく動かなくなってしまった」などの不測の事態が発生することもあります。

その際に、修正依頼を別途しなければなりませんので、その都度費用が発生してしまいます。これを「月額○円で、いつでも修正依頼ができる」という契約を結ぶということでクライアントも安心して運用が可能になります。また受注する側も定額で収入が発生することになりますので大きなメリットがあります。

✏️ 定額メンテナンス契約の獲得方法

定額メンテナンスを獲得するタイミングとしては、納品完了時・もしくは修正依頼が入ったタイミングで行います。修正のタイミングであれば「今回単発で依頼をいただくと○円です。もし今後も定期的に修正が入るようであれば月額○円でメンテナンスします」という形で提案します。

今後も定期的な修正が入りそうでしょうか？よろしければ月額○円でメンテナンスしますが、いかがでしょうか？

ぜひお願いします

定額メンテナンス契約の仕方

　定額メンテナンス契約を結ぶ場合は、事前にその保守内容について取り決めておく必要があります。お互いに共通認識をもつことで後々のトラブルを防ぐことにつながります。

■ メンテナンス契約の際におさえておくべきポイント

適用範囲

　対象となる「Webサイト」とはhttp://xxxx.jpとする

対応時間

　対応時間は平日○時〜○時とする。○時以降に依頼を行った場合、翌営業日依頼を受け付けたものとして処理する

業務内容

　サーバーの管理/WEBサイト運営上の問題や要望に関する相談/Webサイトの更新・修正（ただし既存コンテンツの更新・修正に限る）/バックアップ（バックアップデータの保存期間は、ダウンロード日より●カ月間とする）

契約期間

　○年○月○日〜○年○月○日

　但し、本契約終了の●日前までに書面による異議を申し出なかった場合、この契約は同一条件で更新されるものとし、以降も同様とする

契約金額

　1カ月当たりの報酬は、●万円とする

　翌月末日までに受託者の指定する口座に振込んで支払う。なお、報酬の支払いに必要な振込手数料は、委託者の負担とする

保守業務などに含まれない業務

　対象Webサイト以外の改修や保守/Webサイト運用の定常的な監視/稼働環境や閲覧環境（OSのバージョンアップやブラウザのバージョンアップ）の変化・変更による不具合の調査や修正/Webサイトへの新規システムの導入または外部システムとの連携など

納品方法（保守方法）

　既存コンテンツの更新・修正業務の終了後、完成したコンテンツをテスト環境内に転送し確認する。問題なければ本番環境にてアップロードする形で納品する

損害賠償

　この契約に違反して相手方に損害を与えたとき、その損害を賠償する。ただし、受託者の賠償額は、委託者が受託者に支払った報酬額を上限とする

 報酬の受け取り方

個人で定額メンテナンス契約を結ぶ場合、報酬の受け取り方に注意が必要です。特に月額で費用を受け取る場合は、毎月お支払いをしていただくしくみの構築が必要です（ココナラでは分割払いや月額制など、複数回の支払いを前提とする方法での取引は禁止されています）。個人間で月額報酬の送金を行うためには、各種銀行の「定額自動送金」というしくみを利用すると便利です。銀行によっては取り扱いがない、店頭でしか手続きできない、振込手数料とは別に手数料かかるなど条件が異なりますので、よく確認しましょう。

クラウドソーシング
サービス以外で受注する

取引に慣れてきたらクラウドソーシングサービス以外の受注にも挑戦しましょう。手数料が取られない分、高単価な案件があります。特にSNSを利用した個人受注はおすすめです。

クラウドソーシングサービス以外での受注

Column「クラウドソーシングサービスが低単価な理由と指名発注の存在」(P.80参照)でも紹介した通り、クラウドソーシングサービスでは総じて案件単価が市場相場より低い傾向にあります。クラウドソーシングサービスを利用することは、初心者にとっては安心した取引が可能になるため、プログラミング副業のはじめてのきっかけとして利用するのはとてもよい方法だと思います。しかし、サイト側に手数料を取られてしまうため、月10万円を稼ごうと思うと12万5千円(手数料20%の場合)の利益を上げる必要があるため、より多くの受注をこなす必要があります。

クラウドソーシングサービスである程度実績と経験を積んだあとは、クラウドソーシングサービス以外での受注も視野に入れていきましょう。ここでは、具体的にクラウドソーシングサービス以外での受注方法について解説します。

受注方法①リアル営業

まず1つ目は、リアル営業です。たとえばWeb制作であれば、近所の店舗やクリニック、教室などに「ホームページを作りませんか?」と直接営業をかける方法です。飛び込み営業は勇気がいると思いますので、チラシを作って近隣にポスティングするなどもよいでしょう。直営業は営業力が必要なため、案件をとることはかんたんではありませんが、クライアントと直接取引をするので必然的に高単価になります。

飛び込み営業はちょっと……という方は、人脈を使って直接仕事を獲得する方法もあります。知り合いのお店や会社に営業をかける方法です。飛び込み営業よりはハードルが下がりますし、知り合いだからこその信頼関係があるので、安心して取引することも可能です。

しかし、知り合いであるが故に、安価に提供してしまう、ということもありがちなので注

意が必要です。お互い対等な立場でビジネスとしてしっかり交渉しましょう。そんな人脈はない……という方は、第2章で紹介したようなプログラミング勉強会や懇親会に参加して、知り合いを増やしていくのがよいでしょう。

受注方法②SNS経由の営業

　2つ目は、SNSの発信活動などから仕事を得る方法です。今の時代、SNSを利用することはビジネスの常識といっても過言ではありません。SNS経由の営業のメリットは直接取引によって案件単価が高くなることだけでなく、ライバルが少ないことも大きなメリットです。クラウドソーシングサービスではライバルが多過ぎるため、初心者はどうしても低単価にすることでしか勝ち目がないのが現実です。しかし、SNS経由での案件受注であれば、ライバルがそこまで多くありませんので、高単価な案件を探しやすいです。

　今回は、SNSの中でも特にTwitterで取引が行われることが多いため、Twitterに絞って具体的に案件を獲得する方法を3種類紹介します。

Twitter上での募集に応募する

　Twitter上では、さまざまな募集案件がありますので、「Web制作　募集」というように、キーワード検索を行って、案件を探していく方法があります。この方法で仕事を獲得するコツは、検索方法を「話題」ではなく「最新」に設定しておくことです。Twitter上での募集案件は、気軽にやり取りができることもありスピード勝負な側面もあります。検索方法を「最新」に設定しておくことで、いち早く募集案件を探すことができます。

活動の情報発信を行い、依頼をもらう

　仕事を募集している旨の情報発信を行って、その情報を見た人から依頼をもらう方法です。誰かに仕事をお願いしたいなと思っている人が検索をかけて、自分を見つけてもらえるようにする必要があります。特にTwitterの固定ツイートに具体的な条件を明記しておくと効果的です。

需要がありそうな人に営業をする

　Web制作であれば、ホームページをほしがっていそうな人（たとえば、個人事業主やお店など）に営業をかけるということです。これは、もっとも難易度が高い方法です。SNS上でいきなりのメッセージは不審がられてしまうことが多いからです。

受注方法③クライアントからの紹介

　すでに取引のあるクライアントから別の依頼者を紹介してもらうという方法もあります。すでに取引のあるクライアントからの紹介なので、安心感もあります。著者の場合も、とある歯医者様のWeb制作を受注したところ、知り合いの歯医者さんでもサイトを作ってほしいという人がいるので、紹介してもよいか？　ということがありました。

　なお、クラウドソーシングを利用しての直接取引や連絡先の交換は禁止されていますので、もとのクライアントがクラウドソーシング上でしか取引がない場合は、紹介の仕方に注意が必要です。

受注方法④エージェントサービスの利用

　エージェントサービスとは、スキルや希望の働き方に合わせた案件の紹介・提案をしてくれるサービスです。

　おもにエンジニアやデザイナーなど、ITやWeb業界のフリーランスを対象としたエージェントサービスが多くあります。エージェントサービスの最大のメリットは、自分で営業せずにフリーランスの仕事を受注・契約できることです。また、報酬・単価などの条件交渉から企業との契約手続き、納品後の請求まで実務を代行してくれるため、実際の開発作業のみに集中できます。しかし一定のスキルや経験がないと案件の紹介を受けられない可能性があるため、まずは実績を積むことが重要です。

▲　さまざまな方法で受注を集めることができる

第6章　月10万円を目指す！ステップアップ方法

⊙ おすすめのエージェントサービス

レバテックフリーランス
`URL` https://freelance.levtech.jp/

◀ 業界最大手のエージェント系サイト。
ITエンジニア専門

Midworks
`URL` https://mid-works.com/

◀ IT系エンジニア/デザイナー専門。
案件と案件の間の給与保障制度もあり

クラウドテック
`URL` https://crowdtech.jp/

◀ IT系エンジニア/デザイナー向け。
クラウドソーシング系大手のクラウドワークスが運営

Reworker
`URL` https://www.reworker.jp/

◀ あらゆるジャンルがある。エージェント制ではなく、募集企業に直接応募（※契約・交渉などは自分で行う必要あり）

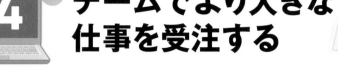

44 チームでより大きな仕事を受注する

🔑 チームで受注を受ける

🔑 ディレクター

副業で月10万円を目指すためには、限られた時間の中で効率的に稼ぐ必要があります。より難易度が高く、単価の高いものに作業時間を割けるようにチームで対応しましょう。

✒ 少人数チームでより効率的に稼ぐ

　副業だけで月10万円を目指すためには、効率的に作業を行う必要がありますが、1日のうち、「副業」に充てられる時間は限られています。そのため1人での作業では、稼げる金額はどうしても限界があります。そこで、1人作業ではなく、チームで受注を行い、より多くの案件を受注できるようにする方法もあります。

　チームで受注を行うメリットは4つあります。

◙ メリット①仕事の代行が可能

　たとえば、本業が忙しくなり過ぎて副業に充てられる時間がまったくなくなってしまったり、万が一、病気や怪我で対応できない場合は、仕事が進まずクライアントにも大きな迷惑をかけてしまうことになります。しかし、チームの場合、自分が対応できなくてもチームメンバーの誰かが代わりに仕事をしてくれます。

◙ メリット②大きな案件を受注可能

　1人だけでは対応できないような大きな案件でも、チームであれば受注可能な場合があります。案件の仕事を細かく分割し、それぞれのスキルに合った仕事を分担して進めていけば、1人で仕事を進めるよりも楽に進めることが可能です。

◙ メリット③より高度・高単価な作業のみに専念可能

　たとえばWeb制作であれば、1つのサイトを作り上げるまでに、画像の調整処理や文字起こし、コピペ作業などの地道な作業も必要です。しかしこれらの作業自体はプログラミング知識は必要なく、ここに時間をかけてしまい、ほかの案件が受注できなくなってしまうのは非効率です。そこで、かんたんな作業をチームメンバーに任せ、より高度・高単価な

作業のみに専念することでより大きな効果を上げることが可能です。

◘ メリット④ディレクターの立場になれる

　チーム運営が軌道に乗ってくれば、自分自身が実際に手を動かさなくても、作業はチームメンバーに任せスケジュール管理や品質管理、クライアントとの窓口を行うだけで大きな収入を得ることができるようになります。

　しかし、一方でチーム作業をすることによるデメリットももちろんあります。たとえば報酬トラブルです。報酬の支払い方法に関しては多くの場合、クライアント企業が報酬を「チーム代表者」に支払うことになります。そして、そのいただいた報酬をチーム代表者がメンバーに対して振り分けていきます。その際、事前にどういった仕事に対してどれだけの報酬を支払うのか？　ということを明確にしておかなければ、チームメンバーの誰かに不満を残すことにもなり兼ねません。

　また、1人で作業をしていた際には発生しないようなコミュニケーションエラーが発生することもあります。クライアントからの要望を聞き、実際に作業をしてもらうメンバーにそれを伝える際にメンバーがこちらの意図するアウトプットを出せるように、しっかりとコミュニケーションをとる必要があります。しかし、「説明している間に自分でやったほうが早い!」という状況になってしまってはチーム化する意味がありません。

　チームについては、ある程度多くの案件を受注してくるようになり、1人作業では限界!　という状態になってから検討しましょう。

◉個人の場合

　小さな案件ばかりをこなしていくこととなりがち…

◉チームの場合

　大型の案件が受けられ、収益もアップ!

Section **45** テンプレート販売で自動収入を得る

テンプレート販売
販売方法

毎回案件受注をして稼ぐ方法では、作業をしなくなった瞬間に収入が止まってしまいます。一度作成したものをテンプレート化し、オンライン販売を行うことで自動収入を得ることも可能です。

テンプレート販売で稼ぐ

　毎回案件受注をして稼ぐ方法を続けていくことも可能ですが、作業をしなくなった時点で収入が止まってしまいます。しかし、一度作成したものをテンプレート化・パッケージ化しオンライン販売を行えば、放置しておくだけで利益が積み上がっていきます。案件の受注をして納品してしまうとその作品はクライアントの資産になってしまいますが、**テンプレート販売**は、半永久的に収入を生む自分の資産となっていきます。

◘ プログラミング副業で作成できるテンプレート

　　・HTML テンプレートの有料販売　　・WordPress テーマの有料販売
　　・Excel VBA ツールの有料販売　　・Web フォームテンプレート販売

◘ テンプレートの販売方法

　　①自身でオリジナル販売サイトを立ち上げ販売する方法
　　②既存 EC サイトにて販売する方法

BASE デザインマーケット
URL https://design.thebase.in/

◀ BASEで使えるネットショップのテンプレートデザインを販売することができる

より高度なプログラミング スキルへ挑戦する

Section

46

- 🔑 スクリプト言語
- 🔑 コンパイラ言語

本書で紹介しているプログラミング言語は初心者でも扱いやすい 言語を紹介しており、プログラミング全体像から見ればごく一部 です。より高度な言語へ挑戦すれば大きな収入が期待できます。

✒ スクリプト言語とコンパイラ言語について

プログラム言語は、人間がコンピューターと会話をするための言語なのですが、コンピューターが実際に処理を実行するときには「コンパイル」という処理をします。コンピューターは「0」と「1」の世界なので、プログラム言語で書かれた指示内容を0と1に置き換えるわけです。このコンパイル処理のタイミングによって、スクリプト言語とコンパイラ言語の2種類に分けることができます。

- ・スクリプト言語→プログラムを 1 行ずつ読み込んで 0 と 1 に変換していく タイプ
- ・コンパイラ言語→コンパイル作業で 0 と 1 に変換してから実行するタイプ

かんたんにいえば、スクリプト言語は人間が理解しやすい言語で、コンパイラ言語は機械が理解しやすい言語です。**実は今回本書でとり挙げている言語のほとんどは、スクリプト言語に分類されます。**コンパイラ言語の代表的なものには、Java、C言語、C#などがあります。

また、紹介している言語を用いた副業の方法においても、プログラミング未経験でも取り組めるような、プログラミングスキルとしては初心者レベルものを挙げています。初心者レベルであっても副業で月10万円を目指すことができるということが、プログラミングの価値の高さを物語っています。しかし、初心者レベルを脱し、より高いプログラミングスキルへ挑戦していくことができれば、月10万円というハードルはより低く感じるようになるでしょう。

著者が月収10万円に至るまでの経緯

著者がはじめてプログラミング副業をはじめたときは、月収数千円程度でした。当時はお小遣いが少し増えればいいや、程度に考えていたこともあり、超低単価で案件受注をしていました。そんな著者が月収10万円に至るまでの経緯について紹介します。

副業月収

趣味でプログラミングを勉強しはじめる	……	0円
学んだ知識をアウトプットしたくなり、知人のWebサイトを作成する	……	0円（ご飯代）
知り合いのWebサイトをいくつか作成	……	〜5千円
地元の掲示板にて超低単価で案件募集してみる。低単価過ぎて依頼殺到、複数件こなしてやっと2万円	……	〜2万円
クラウドソーシングサービスに登録。はじめは最低単価で受注する	……	〜2万円
徐々に単価を上げて受注する	……	〜4万円
複数のクラウドソーシングサービスやSNS経由で案件を並行して受注。関連業務も受注する	……	〜10万円
チームメンバーにかんたんな作業を依頼。より多くの案件を受注可能に。定額メンテナンス契約で固定収入確保	……	10万円〜

第 7 章

副業で得た知識を応用して
相乗効果を狙う!

プログラミングスキルを本業でも活かそう

Section 47

🔑 作業の効率化

🔑 IT化への提案

副業で身に付けたプログラミングスキルを本業でも活用し、本業の給料UPも目指しましょう。また、作業効率化を図ることで副業に充てられる時間を増やすことも可能です。

✒ 本業でのスキルの活かし方

副業をする理由は人それぞれですが、「本業を辞めたいから」といった本業に対して後ろ向きな理由ではじめる人もいると思います。しかし、著者は、「**副業で身に付けたスキルを本業でも活用し、本業の収入も同時に上げるのがお得**」という考え方です。

副業だけで月10万円を達成するためには、相応の時間も労力もかかりますが、仮に副業で身に付けたスキルを本業にも活かし、本業の昇給につながれば、「本業で+3万円」「副業で+7万円」という形で月に10万円の収入UPにつながることになります（著者は実際に副業で得たスキルを本業でも活かし、社内でも評価され昇給につながりました）。

プログラミング知識は本業でも十分に活かすことができます。ITエンジニア以外の事務職場では、ITリテラシーが高かったり、プログラミングができたりするとかなり重宝されます。

プログラミングの知識があると、普段から効率化や自動化する思考が身に付きますので、本業の業務改善につなげることができます。また、論理的にものを考えられるようになったり、集中力がアップしたりという相乗効果も期待できます。

ここでは、プログラミングを事務職へ活かす方法について具体例を紹介します。

◻ 本業への活かし方① 自分の作業を効率化

プログラミングの知識があれば、自分自身の作業効率化を図ることができます。同じ仕事量をこなすにしてもサクッと終わらせて、副業する時間に充てたいですよね（笑）。毎日必ず行うような作業や生産性のないルーチン業務は、自動化してしまいましょう。

ここでは、実際に著者が取り入れている効率化の一部を紹介します。

Excelの独自ショートカットキー活用〜「値貼り付け」する作業を例に解説〜

　ショートカットキーはプログラミングとは直接関係ありませんが、プログラミングを学んでから、効率化思考が定着しショートカットの必要性を改めて認識しました。以前まではショートカットキーが大切だということはわかっていても、なかなか覚える気になりませんでしたが、プログラミングに触れたおかげで考え方が変わりました。

　Excelにははじめからショートカットキーが多く用意されているので、それを活用してもよいのですが、自分がよく使うショートカットだけ独自ショートカットキーを割り当て、ショートカットはすべて[Alt]＋数字キーに統一して覚えやすくしています。たとえば値貼り付けは[Ctrl]＋[Alt]＋[V]キー→[V]キー→[Enter]キーでもできるのですが、[Alt]＋[4]キーのみで値貼り付けできるように設定します。

「ホーム」＞「オプション」＞「クイックアクセスツールバー」を順にクリックして開く。リボンにないコマンドから、自分が使いたいコマンドを選択し追加する

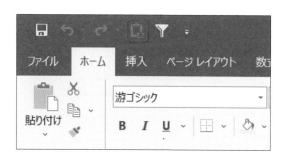

リボンに追加されているこの状態で、[Alt]キーを押すと「4」が割り当てられていることがわかる。これで[Alt]＋[4]キーで値貼り付けが可能になる

Excel VBAの活用

　事務職場でもっとも効果を発揮するのが、Excel VBAの活用です。次ページに紹介するのは著者が実際に活用しているVBAです。業務固有のVBAもありますが、③シート分割、⑤項目別に分割、⑦0落ち処理は、汎用性のあるVBAとして個人用Excelマクロブックに登録しています（個人マクロはどのExcelブックでも共通のマクロとして使用できます）。

①ファイル名の一括変更

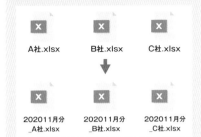

②フォルダの一括作成

※第1章でコードあり

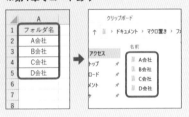

③シート分割

1つのExcelに複数シート

シート名称で個別のExcelに分割

④データ集計

※付録でコードあり

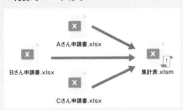

⑤項目別に分割

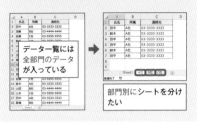

部門別にシートを分けたい

⑥提出物チェック

⑦0落ち処理

※0落ちとはCSVデータをExcelで編集した際に、数字として認識され先頭の0が落ちてしまう現象。テキストエディタで開けば落ちないが、すでに落ちているものを復元する際に活用している

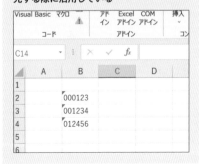

Outlookメールの高速化（クイック操作の活用）

　事務職の効率化を語るうえでメール作業の効率化は避けて通れません。日本のビジネスマンは1日平均2時間近くをメール処理に費やしているといわれています。1日8時間勤務だとすれば、その4分の1もの時間を使ってしまっています。もし標準ソフトがOutlookであれば、ショートカットとクリック操作を使ってメール処理の高速化を図りましょう。

　ちなみにOutlookはExcel VBAでも動かすことができますので、「個別の添付ファイルを付けて同じような内容のメールを一斉送信したい」というような場合にも、ボタン1つで何百通ものメール送信が可能です。

■本業への活かし方②　IT化への提案が可能

　事務職場ではExcelを駆使して地道に手作業で仕事をしている業務もまだまだ多いです。

　効率化したいと思っていても、改善する手段がわからなかったり、ITツールを導入したくても何から手を付けてよいのかわからないのです。

　そこでプログラミングの知識があると「こんな機能を使えばかんたんに自動化できるな」とアイデアを提案することが可能になります。また、ITツールをシステム会社に依頼して導入するにしても、「こういった機能を利用して、こういうことを実現したいのです」とより具体的な提案が可能になります。

　これらのことから、IT化のプロジェクトにアサインされるキッカケにもなると思います。著者も実際に効率化のリーダーを任されることになりました。すでに事務職場において、IT化の波は避けられません。プログラミングスキルが活かせるチャンスはますます増えていくでしょう。

 プログラミングは親としても必須スキル?!

2020年から小学校でプログラミング教育が必修科目になりました。小学生でもプログラミングができるようになる時代です。親として子どもにプログラミングの質問をされたときに「自分たちは教育を受けていないのでわからない」では、困ってしまいます。親としての本業で活かすという意味においても、プログラミングスキルの活用が可能です。

48 WordPress活用で ブログ運営で稼ぐこともできる

🔑 ブログ運営

🔑 アフィリエイト

WordPressができればブログ運営で広告収入も得られます。ブログはストック型副業のため、作業した分だけ資産が増え続けます。「スキルで稼ぎつつブログで安定収入」がおすすめです。

WordPress活用法! ブログ運営

　本書を読んでいる方は、副業に興味がある人が多いでしょうから、「**ブログで稼ぐ**」ということを聞いたことがある人は多いのではないでしょうか？　実は、第2章で紹介したWordPressを使ったWebサイト制作ができれば、自分のブログを作成し、ブログ運営で稼ぐことができるようにもなります。ブログで稼ぐしくみはざっくりいえば、広告収入です。

　ブログに貼り付けた広告がクリックされたり、商品が購入されたりすると報酬が支払われるものです。ここでは、ブログで稼ぐしくみとその方法について具体的に解説していきたいと思います。

ブログで稼ぐしくみ

　ブログで稼ぐしくみには大きく分けて3種類あります。

クリック型	ブログ内に設置された広告がたくさん表示されたり、クリックされた場合に報酬が支払われるしくみ	Google アドセンス
成果報酬型	ブログ内に設置された広告を見た人が実際に購入や契約に至った場合に、その成果に応じた報酬が支払われるしくみ	アフィリエイト（ASP）
ショップ成果型	ブログ内に設置された広告を経由して、ショップ内で商品が購入されれば、報酬が支払われるしくみ	Amazon アソシエイト楽天アフィリエイト

クリック型広告は、クリックされるだけで報酬が発生するので初心者におすすめの広告です。代表的なGoogleアドセンスはGoogleが提供している広告で、審査に通りさえすれば、ブログ内に広告を設置できます。また、広告の内容は読者ごとに最適な広告を勝手に表示してくれるため、ブログの記事の内容は自由に決めることができます。しかし、クリック型広告は報酬額が低い（1クリックあたりの平均単価は、1円〜100円程度）ため、大きく稼ぐことはできません。

成果報酬型広告は、一般的にアフィリエイトといわれるもので、ブログで紹介されている商品やサービスの広告をクリックしたユーザーが、実際に商品を購入した場合に、広告主から報酬が支払われます。アフィリエイトを行うためにはASP（アフィリエイト・サービス・プロバイダ）に登録する必要があります。ASPとは広告主（企業）とアフィリエイトを実施する人（ブロガー）をつなぎ、広告配信できるしくみを提供するプロバイダのことです。成果報酬型広告はクリック型広告に比べ報酬額が高く、大きく稼ぐことができます。しかし、該当商品を多く売るためには購入させるための相応の文章テクニックが必要で難易度は高いです。

ショップ成果型は、アフィリエイトの一種です。通常のアフィリエイトは紹介している商品自体が購入されなければ報酬になりませんが、ショップ成果型はAmazonにある商品または楽天にある商品が購入されれば、報酬になります。たとえばブログ内で扇風機の紹介とともに、おすすめ商品としてAmazonリンクが張ってあったとします。その広告を経由してAmazonサイトに入った人が、仮に冷蔵庫を購入したとしても報酬になるということです。成果報酬型広告に比べ、商品が限られていないため記事が書きやすいメリットがあります。

🖊 ブログで稼ぐ!のはじめ方

ブログで稼ぐためには以下の5ステップを行う必要があります。

■STEP1:WordPressでブログを開設

WordPressでブログを開設するためには、まずレンタルサーバーの契約が必要です。サーバー会社はさまざまありますが、ConoHaWINGやミックスホストであれば、初心者でもかんたんにWordPressがインストールできるクイックスタート機能がついているので安心です。WordPressテーマを決めてインストールをします。

■STEP2:ブログのテーマを決める（雑記ブログor特化ブログ）

ブログは大きく分けて「雑記ブログ」と「特化ブログ」の2種類があります。

雑記ブログ：何でも自由に記事を書いていくことができるのでネタ切れしにくいが、専門性がないため検索上位に上がりづらい

特化ブログ：1つのテーマについて深堀りしていくブログで収益化しやすいが、何かに特化した知識が必要で、ネタ切れしやすい

また、どちらにしてもブログのジャンル決めは非常に重要です。ジャンルとはたとえば「美容」「グルメ」「ファッション」「旅行」「金融」「学び・資格」「転職」「Webサービス」といったカテゴリのことです。ジャンルの決め方は、**収益化の観点とモチベーションの観点から選ぶ**ことをおすすめします。たとえば転職や美容カテゴリは収益性が高い傾向にありますが、まったく興味がないのにそのジャンルについて書き続けることは難しいです。初心者の場合、最初から収益化に重きを置き過ぎると継続できなくなる可能性も高いです（後述）。まず自分が興味のあることについていくつかのカテゴリに絞って書くとよいと思います。

■ STEP3:ブログ記事を書く

実際にブログ記事を書いていきます。ブログというと日記のようなものを思い浮かべる方も多いかもしれません。しかしブログで稼ぐためには書き方の基本ルールに従って書く必要があります。

書き方の基本ルール

・結論を最初に書く

・キーワードを決めてタイトルに入れる

・記事の目的、対象読者を明確にする

・読みやすい工夫（簡潔に書く・画像を利用）

・難しい表現は使わない

・語尾を統一する

■ STEP4:ASPや楽天アフィリエイトなどに登録する

実際に記事を書きはじめたらASPサービスに登録します。ASPサービスによりますが、ブログ自体にあまり記事がなくても申し込めるものもあります。代表的なASPサービスに、A8.net、もしもアフィリエイト、afb、バリューコマースなどがあります。また、楽天アフィリエイトやAmazonアソシエイトといったショップ成果型アフィリエイトにも登録をしましょう。

◘ STEP5:Googleアドセンスに登録する

最後に、Googleアドセンスに登録します。Googleアドセンスは審査が少々厳しいため、ある程度ブログ記事数が必要になります。

✎ ブログで稼ぐためには継続が大切

ブログで稼ぐことはそんなにかんたんではありません。ブログは3年で8割以上の人が辞めるといわれています。アフィリエイトマーケティング協会が毎年実施している「アフィリエイト・プログラムに関する意識調査」によると、ブログ継続年数は次のような数字になっています。

	2017年	2018年	2019年	2020年
1年未満	33.4%	37.4%	38.6%	38.2%
2年未満	15.9%	16.2%	16.8%	16.3%
3年未満	11.3%	11.3%	10.7%	11.4%
4年未満	8.2%	6.9%	7.3%	7.2%
5年未満	6.9%	5.8%	5.3%	4.7%
5年以上	24.3%	25.0%	21.3%	22.2%

▲ アフィリエイトマーケティング協会 「アフィリエイト・プログラムに関する意識調査2020年」を参考に作成

これを見ると、3年以上続けているという人は約3割しかいないことがわかります。しかし、「現時点でブログをやっている人の中で」3割いるというだけなので、ブログをはじめたけれど、挫折して辞めてしまった人は数値に含まれていません。実際には多くの人が挫折をしてしまうのが現実なのです。多くの人が挫折してしまう理由は、ブログ作業の大変さの割に収益が出るまでに時間がかかることです。こちらは、同調査のブログ収益に関するアンケート結果ですが、3万未満しか稼げていない人が73.3%もいることがわかります。

収入なし	31.6%	～3万円未満	7.1%	～20万円未満	4.0%
1,000円未満	16.6%	～5万円未満	4.0%	～50万円未満	5.0%
5,000円未満	11.3%	～10万円未満	4.1%	～100万円未満	3.0%

▲ アフィリエイトマーケティング協会 「アフィリエイト・プログラムに関する意識調査2020年」を参考に作成

ブログで稼ぐということは非常に厳しい世界ではありますが、継続していくことさえできれば、収入につながっていきます。

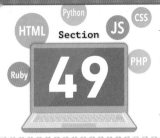

Section
49

プログラミング × ○○で スキル価値を高めよう

🔑 複数のスキルのかけ合わせ

🔑 スキル価値UP

身に付けたプログラミングスキルはほかのスキルとかけ算することで、よりスキル価値があがります。希少価値が生まれればその分、大きな収入につながることが期待できます。

✏ スキル価値の高め方

プログラミングスキルに限らず、スキル価値を高めていくには2つの方法があります。

> ① 1つのスキルを磨いて、その道を極めていきナンバーワンになる方法
> ② 複数のスキルをかけ合わせて、自分にしかできないオンリーワンになる方法

著者はこのうち、②複数のスキルをかけ合わせていくことをおすすめします。

たとえば、英語ができる人は世の中にたくさんいます。どんなに英語力を磨いていっても上には上がいて、ナンバーワンになることは非常に難しいです。しかし、英語がそこそこできて、プログラミングも書けるという人は少ないのではないでしょうか。このように、スキルというのは、かけ合わせることで希少価値が上がり、スキル価値を高めることができるのです。しかしまったく求められていないスキルをかけ合わせても意味がありません。たとえば、「イラストが描ける」×「料理が得意」という組み合わせだと市場に求められることはないため、スキル価値は上がりません。あくまでも市場に求められるスキルを組み合わせる必要があります。

その点、プログラミングはそれ自体が市場に求められているスキルであることと、ほかの副業とも相性がよいため、さまざまなスキルと組み合わせることで、スキル価値を高めることができるのです。

ここでは具体的にプログラミングとかけ合わせることができる副業を4つ紹介します。

スキルのかけ合わせで収入UPしよう

◎ プログラミング×Webライター業

　Webライターは特に知識がなくてもはじめられる副業として人気が高いですが、その分参入者が多く飽和状態にあります。そのため、案件単価は低く作業時間に対して報酬が少なく割に合わないという現状があります。しかし、プログラミングとかけ合わせることで、IT系のライティングに説得力が付き、ほかのライターと差別化を図ることができます。実際にIT系のライティング案件は比較的単価が高い傾向にあります。

◎ プログラミング×動画配信

　プログラミングの知識を活かし、動画配信を行って稼ぐことも可能です。「ストアカ」（https://www.street-academy.com/）というサービスでは、教えたい人と学びたい人をつなぐマッチングサービスであらゆるジャンルの講座が開催されています。IT系の講座も数多く開催されていて、マンツーマンレッスンから、対複数人のレッスンまであります。プロラグラミング系講座だと、1講座3,000円～ 1万円の講座まで幅広くあります。

ストアカ
`URL` https://www.street-academy.com/

◘ プログラミング×講師

　プログラミング教育が必修化されたことで、子ども向けのプログラミング教室はものすごい勢いで増えています。それに伴いプログラミング教室の講師の求人需要も高まってきています。プログラミング講師の時給相場は1,500円〜2,000円ほどです。たとえば時給2,000円×週2回×1.5時間の授業を受け持てば、月に2.5万円になりますね。プログラミング講師といっても特別資格は必要ありません。高いプログラミングスキルよりも、人柄のほうが重要です。プログラミングで副業経験があり、子どもに教えることが好きであれば十分に採用されると思います。

◘ プログラミング×電子コンテンツ販売

　電子コンテンツ販売とは、自分自身の知識やノウハウをまとめた商品をオンライン上で販売することです。コンテンツ販売は、一度オンライン上に載せてしまえば、あとは購入されるたびに自動収入が入るストック型副業であるメリットがあります。

　この電子コンテンツ販売とプログラミングの相性は非常によいです。

　たとえば、コンテンツ販売サービスでは、記事、写真、音楽、動画を投稿することができる「note」（https://note.com/）が有名です。noteでは記事を投稿する際、公開設定を「有料」にして、価格と有料化の範囲を指定することで、電子コンテンツ販売を行うことができます。

　また、本書のような電子書籍販売も電子コンテンツ販売の1つです。Amazon Kindleなどであれば、誰でもかんたんに電子コンテンツ書籍を発行することができます。

⊙Amazon Kindleの出版方法

①Amazonのアカウントを作る

「Amazon」(https://www.amazon.co.jp/) にアクセスし、<こんにちは、ログイン アカウント&リスト>→<新規登録はこちら>の順にクリックしてアカウントを作成します。

②Kindle Direct Publishingに登録する

「Kindle Direct Publishing」(https://kdp.amazon.co.jp/ja_JP/) にアクセスし、<ログイン>をクリックして利用規約に同意して登録します。

③電子書籍を執筆する

執筆する原稿は、Wordでもプレーンテキストでもファイル形式はなんでもOKです。

④原稿をE-PUB形式に変換する

執筆した原稿を、E-PUB形式のファイルに変換します。変換は、「LeMe」(https://leme.style/) といったフリーソフトでも行うことができます。

⑤表紙の画像データを作る

Amazonでは、JPGまたはTIFFのファイル形式で、高さ2,560ピクセル、幅1,600ピクセル、50MB未満のファイルを推奨しています。

⑥KDPで出版の手続き(本の詳細、ジャンル設定、価格設定など)

「Kindle Direct Publishing」で本の詳細、ジャンル設定、価格設定などの手続きを行い、ファイルを入稿すると出版できます。

Column

著者が本書を執筆することになった経緯
〜プログラミング×SNS×ブログ×コンテンツ販売へ〜

著者が本書を出版することになったのは、実は「プログラミング×ブログ」がきっかけでした。

もともと文系出身でしたが独学でプログラミングを学び、その知識を活かして、本業の会社員の仕事の効率化を図ったり、プログラミング副業をしていました。

そして、プログラミング副業が軌道に乗り、ある程度まとまった収入になってきた頃に、「まったくの初心者でもここまで辿り着くことができたのだから、このノウハウを発信すればきっと多くの人の役に立つかもしれない!」とブログをはじめました。

そしてSNSを通じてブログ活動の情報を発信していたことで、出版社の方の目に留まり、本書を出版することになったわけです。

ここでお伝えしたいことは、もしプログラミング副業をするだけで終わっていたとしたら、大きく飛躍して稼ぐことはできなかったということです。

プログラミングスキルを軸にブログやコンテンツ販売へと発展させることで相乗効果が生まれ、スキルアップにも収入アップにもつながっていくのです。

しかし、だからといっていきなりスキルをかけ合わせろといわれても難しいと思いますし、中途半端になってしまっては意味がありません。

スキルのかけ算をしていくためには、その軸となるものが必要です。これからプログラミング副業をはじめてみたいという方は、まず1つのスキルをある程度極めていくことも大切です。

付 録

副業の基礎知識を確認しよう

働き方改革と副業

🔑 規制緩和

🔑 企業の現状

働き方が多様化したことで、近年、「副業」という言葉をよく耳にするようになりました。ここでは企業の現状や規制緩和などについて説明していきます。

✒️ 副業ニーズが高まるも導入企業はまだ少ない

　2019年4月から「働き方改革関連法」が段階的に施行され、働き方改革の実現に向けてさまざまな取り組みが行われています。近年では働き方が多様化し、テレワークやフレックスタイム、ワークシェアリングなど、ライフスタイルに合わせた柔軟な働き方が可能になりました。

　そのような中、**働き方改革の一環として政府が推進しているのが「副業」や「兼業」**です。コロナ禍の今では、単なるお小遣い稼ぎとしてではなく、収入を安定させるための手段としてはじめる人も多くなっています。株式会社リクルートキャリアが行った「兼業・副業に関する動向調査」によると、企業に勤める正社員のうち、約9.8%が兼業・副業を実施しているという結果が出ています。兼業・副業への関心が高いのは20～30代の若年層が多い一方で、いまだ多くの企業が兼業・副業を認めていないという実態があります。

⊙ 兼業・副業の実施状況（2020年12月時点）

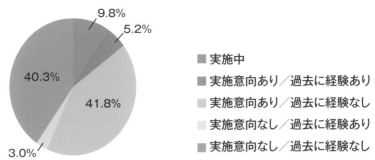

- ■ 実施中
- ■ 実施意向あり／過去に経験あり
- ■ 実施意向あり／過去に経験なし
- ■ 実施意向なし／過去に経験あり
- ■ 実施意向なし／過去に経験なし

9.8%
5.2%
40.3%
41.8%
3.0%

出典：株式会社リクルートキャリア「兼業・副業に関する動向調査」
https://www.recruit.co.jp/newsroom/recruitcareer/news/20210225_02cuj4f.pdf

▲ 兼業・副業を実施しているのは9.8%だが、全体の約半数以上が意向を示している。

付録

副業の基礎知識を確認しよう

　厚生労働省は2018年1月に、企業が就業規則を作成する際の指針となる「モデル就業規則」において、これまで「許可なく他の会社等の業務に従事しないこと」とされていた規制が、「勤務時間外において、他の会社等の業務に従事することができる」に改定されました。この改定によって企業で副業が解禁され、新しい働き方として注目を集めています。

　ところが、前述した通り、現状では兼業・副業制度がある企業はごくわずかであり、多くの企業では禁止されています。そのおもな理由として、「社員の長時間労働を助長する」「労働時間の管理・把握が困難」「情報漏えいのリスクがある」などが挙げられています。

◉企業が副業の導入に踏みとどまるおもな理由

| 長時間労働 | 労働時間の管理・把握 | 情報漏えい |

　副業することで、働く側にとっては、収入の増加や本業では得られない新たなスキルや経験を得られるなどのメリットがありますが、企業側にもメリットが期待できます。たとえば、副業で得たスキルや知識を自社で活かすことができれば、より効率よく業務を遂行できるようになるでしょう。

　また、育児や介護など、さまざまな事情で一時的に勤務できない場合も退職せずに済むため、結果的に従業員の定着率が向上したり、優秀な人材を失わずに済んだりすることができるのです。自身が興味ある分野に積極的にチャレンジできる環境を整えることは、従業員の自律性や自主性を育み、企業側にも大きなメリットをもたらします。

付録 副業の基礎知識を確認しよう

サラリーマンの規則と副業

🔑 労働基準法

🔑 機密情報

働き方が多様化した今、会社に勤めながらも副業で収入を増やすサラリーマンが増えてきています。労働時間や会社への報告など、副業にまつわる制限を押さえておきましょう。

労働時間はルールが定められている

　副業をはじめるうえでまず知っておかなければならないのが「労働時間」です。労働時間は「労働基準法」という法律で以下のように定められています。

第三十二条

使用者は、労働者に、休憩時間を除き一週間について四十時間を超えて、労働をさせてはならない。
2　使用者は、一週間の各日については、労働者に、休憩時間を除き一日について八時間を超えて、労働させてはならない。

　つまり、法定労働時間は1日8時間、週40時間と定められており、副業する場合も同様に労働基準法が適用されます。これを超えた場合は時間外労働とみなされ、残業代が支払われるようになります。注意したいのは、本業と副業の労働時間が通算されるということです。たとえば、本業で8時間、副業で3時間働く場合、3時間分の時間外手当が受けられるのです。

◉本業と副業の労働時間に要注意

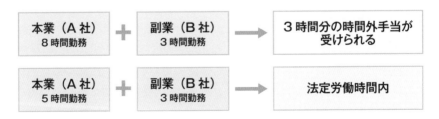

| 本業（A社）8時間勤務 | ＋ | 副業（B社）3時間勤務 | → | 3時間分の時間外手当が受けられる |
| 本業（A社）5時間勤務 | ＋ | 副業（B社）3時間勤務 | → | 法定労働時間内 |

▲ 本業と副業の労働時間は通算される。両者のバランスを見て決めることが大切だ。

機密情報の流出には要注意

　副業する場合、機密情報の取り扱いには十分な注意が必要です。業務内容によっては、本業で培ったノウハウや重要な情報が副業先の会社で有用になることがあるため、機密情報が流出するリスクがあります。副業を認めている企業では情報漏えいを不安視する声も多く、就業規則で「秘密保持義務」や「競業避止義務」を遵守するように求めたり、本業と競業するような企業では副業しないことを定めた誓約書を提出させたりするところもあります。機密情報が漏えいすれば企業にとっても大きな損害を被ることになるため、厳重な取り扱いが求められます。

秘密保持義務

競業避止義務

重要

 会社への報告はどうする？

　副業をはじめる際に多くの人が悩むのが、会社へ報告すべきかどうかということです。副業をはじめる段階まで進んだら、まずは自社の就業規則を確認するようにしましょう。申請が不要な会社もありますが、中には所定の手続きを踏んだり、書類の提出を求めたりする会社もあります。副業が認められていても、手続きせずに副業した場合は何らかの処分が下される可能性も考えられるため、就業規則に則って判断するようにしましょう。

 公務員は制限が多い

公務員の副業や兼業は法律で禁止または制限されています。その理由として、「公務員として信用を落とすような行為をしてはならない（信用失墜行為の禁止）」「職務上の秘密を漏らしてはいけない（守秘義務）」「本職に専念しなければならない（職務専念の義務）」の3原則があります。基本的には許可がなければ副業できませんが、そのハードルも高いとされています。無許可での副業は懲戒処分や停職になるリスクがあるため十分に注意しましょう。なお、上記に挙げた3原則に該当しないものとして、一部認められている副業もあります。

雇用契約の種類と契約書の見方

付録
3

🔑 契約形態

🔑 契約書

副業にはさまざまな契約形態があります。それぞれで業務内容や報酬などの条件が決まるため、副業をはじめる前に確認しておきましょう。契約書のチェックポイントも解説します。

✒ 副業は業務委託契約が主流

　副業の契約形態には、正社員や契約社員、パート・アルバイトとして会社に雇われて働く「雇用契約」、企業が個人に対して特定の業務を委託する「業務委託契約」の2種類に大別することができます。さらに業務委託契約は、成果物の納品によって対価が支払われる「請負契約」、成果物がなくても対価が支払われる「委任契約」に分けられます。一般的に副業で働く場合は、業務委託契約の形を取ることが多いでしょう。

◉雇用契約のしくみ

契約形態

| 雇用契約 |
| 業務委託契約 |

請負契約：成果物の納品を目的とする

委任契約：業務の遂行を目的とする

　このように、副業といってもその契約形態はさまざまです。契約形態によって責任を負う範囲も異なるため、事前によく確認するようにしましょう。
　また、保証内容も異なります。労働法や社会保険などが適用される雇用契約に対して、業務委託契約ではそうした保証がありません。そのため、労働時間に規制がなかったり、労働保険が適用されなかったりするなど、すべて自己責任になってしまうため、自身で加入する必要があります（本業で社会保険に加入している場合はそのまま適用されます）。

付録 副業の基礎知識を確認しよう

契約書でチェックすべき項目

　副業の場合も、契約形態を問わず契約書を交わすことになるため、あとでトラブルに発展しないよう、不審な点がないかどうかを慎重に確認することが大切です。中には書面を作成せずに口頭のみで契約を結ぶところもあるようですが、万一トラブルが発生した際に、口頭では契約内容を証明することが困難です。良好な関係を築いていくためにも、必ず書面で契約を交わし、以下に挙げるチェックポイントをよく確認して、あいまいな部分がないようにしておきましょう。

◉契約書のチェックポイントの一例

項目	概要
契約形態	請負契約または委任契約の2種類があり、それぞれで責任を負う範囲が異なる
業務内容・成果物	求められる業務範囲や成果物に関する記載。相違がないよう明確に記載されているかを確認する
報酬金額・算出方法・支払い方法	報酬金額のほか、算出方法や支払い方法、支払い日に問題がないかを確認する
業務にかかわる経費	業務を行ううえで発生する経費がどの範囲まで認められるかを確認する
納期・契約期間・契約解除	成果物の納期や契約の期間などを確認する。契約更新・解除の条件なども忘れずに確認する
損害賠償	万一トラブルが起きた際に、その責任範囲や上限額を確認する
瑕疵担保責任	成果物を納品したあと、ミスや不具合などが見つかった際に補償する責任。責任範囲のほか、企業側が行使できる権利などを確認する
知的財産権	成果物の「知的財産権」をどちらが所有するかを確認する
秘密保持	業務を通して得た情報には守秘義務が生じる。機密情報の取り扱い方法や範囲について確認する

付録

副業の基礎知識を確認しよう

177

税金と確定申告

🔑 税金

🔑 確定申告

副業する際に避けて通れないのが確定申告です。副業で収入を得ている場合でも、一定以上の収入を得ている場合には申告しなければなりません。ルールに従って手続きしましょう。

✒️ 税金は所得の種類によって異なる

　本業と同様に、副業で働いて収入を得た場合にも、その所得に応じた所得税と住民税を支払わなければなりません。所得は10種類に分類され、それぞれで必要な経費の範囲や所得の計算方法が異なります。ここでおもなものを紹介するので、自分が得た収入がどの分類になるのかを確認しましょう。

⊙おもな所得の種類

所得区分	説明
給与所得	パートやアルバイトなどで得た給料による所得。収入金額（源泉徴収される前の金額）から給与所得控除額を差し引いたものが課税対象となる
不動産所得	マンションやアパートなどの賃貸から得た所得。家賃や敷金礼金などの総収入金額から必要経費を差し引いたものが課税対象となる
事業所得	サービス業や農業・漁業などの事業として得た所得。総収入金額から必要経費を差し引いたものが課税対象となる
雑所得	アフィリエイトやライティングなどで得た所得。総収入金額から必要経費を差し引いたものが課税対象となる

Memo 税金を算出する

副業でどのくらい税金がかかるのかを知りたいときは、税金をシミュレーションできるサイトを活用するとよいでしょう。freeeが無料で提供している「副業の税額診断」（https://www.freee.co.jp/kojin/fukugyou/tax-simulation/）では、本業や副業の収入、経費の割合を入力するだけで、所得税や住民税、社会保険料などが自動的に算出されます。確定申告のときに慌てないよう、事前に診断しておおよその金額を把握しておくと安心です。

　副業での所得が年間20万円を超えた場合は、確定申告の手続きをする必要があります。ただし、会社員で副業による所得が給与所得の場合、年間20万円以下でも白色申告（下記参照）による確定申告が必要です（給与所得の総額を申告する必要があるため）。また、この20万円というルールは所得税に対して適用されるものであり、所得が1円以上ある場合は別途住民税の申告が必要です。

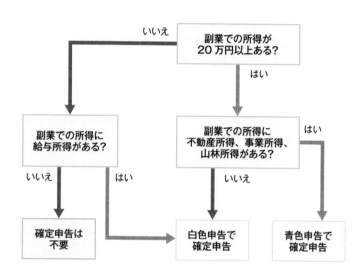

　所得税の確定申告には、「青色申告」と「白色申告」の2種類があります。青色申告は複式簿記（取引を複数の科目で記載する方式）で帳簿を記録しなければならないため、複雑で手間がかかりますが、最大65万円が控除される制度が用意されています。一方、白色申告は青色申告の申請を行っていない人がするものです。事前の申請が不要だったり、かんたんな記帳のみで済んだりするなど負担は少ないですが、青色申告のような控除は受けられません。

　なお、確定申告書は、毎年2月16日〜 3月15日までの1カ月間が提出期間と定められています。万一提出期限を過ぎた場合は承認されないので、事前に準備しておくようにしましょう。確定申告書の作成が難しそうだと感じたり、面倒くさいと思ったりする人も中にはいるかもしれません。そのようなときは、「やよいの青色申告オンライン」や「freee」などの確定申告ソフトが便利です。日々の収入と支出を入力するだけで複雑な複式簿記が作れるため、青色申告をする場合は活用してみることをおすすめします。

付録

副業の基礎知識を確認しよう

コピペでOK! 明日から使える
Excel自動集計のVBAコード解説

Excel VBAを使ってプログラミングに触れてみましょう。VBAをはじめて行う人は、事前準備として以下の設定をしましょう。

1 ファイル>オプション>リボンのユーザー設定>開発にチェックを入れる

2 開発タブ>Visual Basic>挿入>標準モジュールを開き、ここにVBAコードを書く

◘ このVBAコードでできること（最終的な処理のイメージ）

各自から提出された申請書フォーマットをフォルダにすべて格納した状態でマクロを実行すると、フォルダ内のExcelの内容を集計表へ転記・一覧化します。

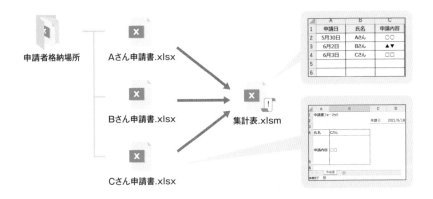

◎ VBAコード

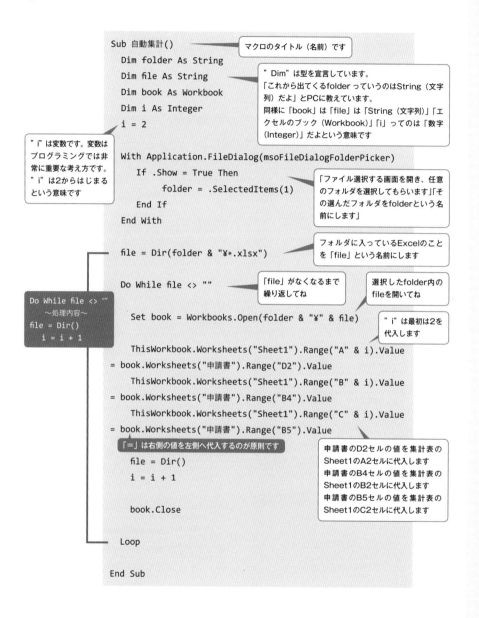

```
Sub 自動集計()
    Dim folder As String
    Dim file As String
    Dim book As Workbook
    Dim i As Integer
    i = 2

With Application.FileDialog(msoFileDialogFolderPicker)
    If .Show = True Then
        folder = .SelectedItems(1)
    End If
End With

file = Dir(folder & "¥*.xlsx")

Do While file <> ""

    Set book = Workbooks.Open(folder & "¥" & file)

    ThisWorkbook.Worksheets("Sheet1").Range("A" & i).Value
= book.Worksheets("申請書").Range("D2").Value
    ThisWorkbook.Worksheets("Sheet1").Range("B" & i).Value
= book.Worksheets("申請書").Range("B4").Value
    ThisWorkbook.Worksheets("Sheet1").Range("C" & i).Value
= book.Worksheets("申請書").Range("B5").Value

    file = Dir()
    i = i + 1

    book.Close

Loop

End Sub
```

マクロのタイトル（名前）です

" Dim" は型を宣言しています。
「これから出てくる folder っていうのは String（文字列）だよ」とPCに教えています。
同様に「book」は「file」は「String（文字列）」「エクセルのブック（Workbook）」「i」ってのは「数字（Integer）」だよという意味です

" i" は変数です。変数はプログラミングでは非常に重要な考え方です。" i" は2からはじまるという意味です

「ファイル選択する画面を開き、任意のフォルダを選択してもらいます」「その選んだフォルダを folder という名前にします」

フォルダに入っている Excel のことを「file」という名前にします

```
Do While file <> ""
　〜処理内容〜
file = Dir()
    i = i + 1
```

「file」がなくなるまで繰り返してね

選択した folder 内の file を開いてね

" i" は最初は2を代入します

「=」は右側の値を左側へ代入するのが原則です

申請書のD2セルの値を集計表のSheet1のA2セルに代入します
申請書のB4セルの値を集計表のSheet1のB2セルに代入します
申請書のB5セルの値を集計表のSheet1のC2セルに代入します

Step Up 2

知識ゼロでもできる
ホームページ作成手順5ステップ

◻ 手順1：サーバーを準備する

サーバーには無料サーバーと有料サーバーがありますが、気軽に試せるように無料サーバーを使用します。

1 「XFREE」（https://www.xfree.ne.jp/）公式サイトで、「無料レンタルサーバーご利用お申し込み」をクリックする

2 メールアドレスを入力し、「確認メールを送信」をクリックする。登録したメールアドレス宛に自動メールが届くのでメール内の「お申し込みURL」をクリックする

3 必要情報を入力し、送信後「ログイン」をクリックする

4 サーバーIDを入力する（サーバーIDはあとから変更できません。完成するホームページにURLに使われます）

5 無料レンタルサーバーからHTMLサーバーの「利用を開始する」をクリックする

6 管理パネルにログインし、「FTPアカウント設定」をクリックする

7 FTPホスト、FTPユーザー（アカウント名）、FTPパスワード（編集から設定）をメモしておく

❏手順2：「FFFTP」をダウンロードする

1 窓の社(https://forest.watch.impress.co.jp/library/software/ffftp/) から「FFFTP」をダウンロードする

2 ダウンロードした「ffftp-v4.7-x64.msi」をダブルクリックする（デスクトップに「FFFTP」のアイコンが表示されていれば完了です）

3 「FFFTP」のアイコンをダブルクリックし、新規ホストをクリックして、手順**1**でメモした情報を入力する（ホストの設定名は何でもOKです）

❏手順3：ホームページテンプレートをダウンロードする

1 Web上から好きなHTMLテンプレートをダウンロード（テンプレート配布サイトはP.101参照）

2 ダウンロードしたファイルを解凍し、デスクトップへ保存する

❏手順4：HTML編集をする

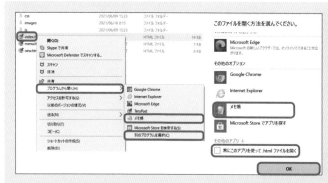

1 「index.html」を右クリックし、「プログラムから開く」を選択、「メモ帳」を選択する（ここに「メモ帳」が出てこない場合は、「別のプログラムから開く」を選択し、「メモ帳」を選択します）

2 HTMLタグがいろいろ書いてあるが、よく見ると日本語で書いてある部分がある。修正したい該当部分を見つけて書き換えてみよう（タグをいじってしまうとレイアウトが崩れたりするので、まずはタグをいじらないようにしましょう）

3 修正したhtmlファイルを右クリック＞プログラムから開く＞Exprorer（Internet Exprorer/Google Crome/Microsoft Edgeなど）で開いて確認する。修正した内容が反映されていればOK

◻ 手順５：ファイルをサーバーへアップロードする

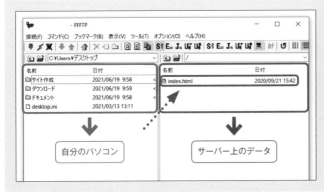

1 修正したhtmlファイルをご自身のパソコン側（左側）から、サーバー側（右側）へドラッグアンドドロップで移す（これでアップロードが完了します）

2 インターネット上のURLで確認してみよう（サイトのURLはhttp://（あなたのサーバー ID）.html.xdomain.jp/index.htmlです）

HTMLタグは「<」と「>」で半角の文字を囲んで表記します（全角だと認識されないので注意）。HTMLタグには2種類あります。

・**<タグ> ～～ </タグ>のように、対になっているもの**
・**<タグ>だけのもの**

タグの種類	書き方
タイトル	<title></title>
文章本体	<body></body>
見出し	<h1> ～ </h1> <h2> ～ </h2> <h3> ～ </h3>
段落	<p> ～ </p>
フォント	<font size="5" color="red"> ～ </font>
改行	
リスト	<ul> <li> リスト項目 1 </li> <li> リスト項目 2 </li> <li> リスト項目 3 </li> </ul>
画像	<img src="画像の場所" alt="画像の説明">
リンク	<a href="リンク先の URL"> リンクする文字 </a>
表	<table> <tr> <th> 見出し 1 </th> </tr> <tr> <td> ここに説明 </td> </tr> <tr> <th> 見出し 2 </th> </tr> <tr> <td> ここに説明 </td> </tr> </table>

おわりに

◆「令和時代における最強の働き方とは」

　終身雇用の終焉、人生100年時代といわれる現在においては、【会社員（サラリーマン）＋副業】が最強の働き方だと思っています。**会社員の安定収入と社会的信用を得ながら、副業でスキルと収入アップを達成できる**からです。

　昔ほど会社員も安心してはいられないといわれるようにはなりましたが、労働基準法で守られた会社員は、まだまだ安定した給料をもらうことができます。もし毎月収入が安定しない生活を考えてみると、その精神的ストレスは計り知れません。現に毎月100万円以上稼ぐフリーランスの方でも、来月には収入が0になるかも知れないと不安に駆られるそうです。その点、会社員であれば、仮に有給休暇で仕事を休んでいても給料がもらえる安心感があります。また、本書でも紹介したように、会社員は社会的信用を得やすく、安定した土台を築くことができます。

　ただし、会社員の場合は、給料が飛躍的に上がりにくい・個人のスキルアップが難しい（その会社でしか使えないようなスキルしか身に付かない）・やりがいが感じられないなどのデメリットがあります。これらのデメリットを副業で補えばよいのです。会社員として得られる恩恵を受けつつ副業をすることができれば、安定した土台の上で個人のスキルアップ、収入アップを図ることができます。

　また、副業をすることで社外の人脈や視野の広さを得ることができます。1つの会社だけに依存していると、どうしても視野が狭くなり井の中の蛙になりがちです。副業で外の世界を知ること・ビジネス

を知ることで、より広い視野と人脈を増やすことができます。そして、こうしたスキルアップや人脈はめぐりめぐって本業にも活きてきます。

　このように会社員の恩恵を受けつつ副業でスキルも収入もUPし、さらに本業へもシナジー効果を発揮できる。これが会社員（サラリーマン）＋副業が最強の働き方だと思う理由です。

　ただし、会社員＋副業という働き方をすれば、当然ですが忙しくなります。今まで休んでいた平日の夜や週末は休み時間ではなく仕事の時間になります。そのため、副業の仕事自体が楽しく・やりがいを感じることができないと続けられません。本書はプログラミング副業について紹介していますが、そういう意味では、プログラミングが楽しいと思えるかどうかは非常に重要です。

　自分の得意なこと、好きなことで、学びながら価値提供できることを増やしていくことを是非目指していきましょう。もしそれが、プログラミングである人ならば、きっと効率よく稼ぐことができると思います。

　本書をきっかけにプログラミングに興味を持ち、副業をはじめてみようと思う方がいれば嬉しく思います。

高橋　千陽

索引

189

索引

著者紹介

高橋 千陽（Takahashi Chiharu）

愛知県出身
立教大学 経済学部卒
大手メーカーに10年勤務。人事総務を担当
現在は子供2人を育てながら会社員と副業を両立して
いる

プログラミングをゼロから学び
主にWeb制作副業でこれまでに7桁収益を達成
初心者でも収益化に成功したノウハウを本書にまとめ
ている

本業ではExcel VBAやRPAによる業務効率化に貢献
し昇給に成功
女性リーダー候補生にも選出されている

会社員の安定収入と社会的信用を得ながら、
副業でスキルと収入アップを達成出来る
【会社員+副業】こそが最強の働き方と考える

Twitter : @tsenblog
ブログ : https://tsenblognosusume.com/

● 編集／DTP………………………………リンクアップ
● 本文デザイン …………………………リンクアップ
● 装丁 ………………………………………坂本真一郎（クオルデザイン）
● 装丁イラスト …………………………高内彩夏
● 担当 ………………………………………伊藤 鮎（技術評論社）
● 技術評論社 Web ページ ………………https://book.gihyo.jp/116

■問い合わせについて

本書の内容に関するご質問は、下記の宛先までFAXまたは書面にてお送りください。なお電話によるご質問、および本書に記載されている内容以外の事柄に関するご質問にはお答えできかねます。あらかじめご了承ください。

〒 162-0846
東京都新宿区市谷左内町 21-13
株式会社技術評論社　書籍編集部
「知識ゼロからはじめる！ プログラミング　副業で月収 10 万円」質問係
FAX：03-3513-6167

※ご質問の際に記載いただいた個人情報は、ご質問の返答以外の目的には使用いたしません。
　また、ご質問の返答後は速やかに破棄させていただきます。

知識ゼロからはじめる！ プログラミング　副業で月収 10 万円

2021 年　9 月　2 日　初版　第 1 刷発行
2023 年　6 月 10 日　初版　第 3 刷発行

著者　　　高橋 千陽
発行者　　片岡 巌
発行所　　株式会社技術評論社
　　　　　東京都新宿区市谷左内町 21-13
　　　　　電話：03-3513-6150　販売促進部
　　　　　　　　03-3513-6160　書籍編集部
印刷／製本　　日経印刷株式会社
定価はカバーに表示してあります。

ISBN978-4-297-12239-3 C0036

Printed in Japan